D0269741

VOLTOOID EN VERGETEN

Greetje van den Berg

Voltooid en vergeten

Spiegelserie

ISBN 978 90 5977 546 6
NUR 344

www.spiegelserie.nl
Omslagontwerp: Bas Mazur

1

Het kan niet waar zijn.
Vera Goedhardt houdt haar adem in als de mannelijke sollicitant de kamer binnenkomt en met een beminnelijke glimlach handen begint te schudden. Hij kan het gewoon niet zijn, houdt ze zichzelf voor. Ze werpt een blik op de kopie van zijn brief die voor haar ligt.
'Jacco Dupeur,' hoort ze hem zeggen als hij haar krachtig de hand drukt. Het is dezelfde naam die ze ook in de brief heeft zien staan en die geen enkele alarmbel heeft doen rinkelen. Langzaam laat ze haar adem tussen haar tanden door ontsnappen.
Hij lijkt erop, maar hij kan het gewoon niet zijn, houdt ze zichzelf voor. Bovendien zag ze hem twintig jaar geleden voor het laatst. In twintig jaar kan een mens erg veranderen. Ze probeert zichzelf te hernemen, luistert naar de stem van haar man Marius, die wil weten waarom Jacco Dupeur denkt dat hij geschikt is voor de functie van general manager van Hotel Emma. Woorden glijden langs haar heen. Als iedereen lacht om iets wat Jacco zegt, lacht ze mee zonder te weten waarover het gaat.
Zijn stem... Kun je je na twintig jaar nog een stem herinneren? De manier waarop hij binnenkwam, die karakteristieke, enigszins slepende gang... Hij droeg alleen nooit zo'n maatpak. Ze kon hem destijds uittekenen, in zijn jeans met daarop dat krakende leren jasje.
Nu wordt het tijd dat zij ook iets zegt. Ze heeft steeds volop deelgenomen aan de sollicitatiegesprekken, die de hele morgen al in beslag hebben genomen.
'Waarom hebt u juist voor ons hotel gekozen?' vraagt ze, om direct te ontdekken dat het de foute vraag was.
'Die vraag heb ik net uitgebreid beantwoord,' zegt Jacco Dupeur. 'Dus als u het me niet kwalijk neemt...'
'Ach nee, natuurlijk... Ik was even met m'n gedachten ergens anders.' Ze heeft een vuurrode kleur gekregen.
'De gesprekken hebben ook al de hele morgen geduurd,' zegt Marius

in een poging haar flater goed te praten. Ze probeert haar aandacht bij het gesprek te houden. Jacco lijkt volkomen ontspannen op zijn praatstoel te zitten. Zijn houding is open; af en toe rust zijn blik op haar, maar niet vaker dan op de anderen.

'Hoe denkt u over gastvrijheidsbeleving?' informeert ze. Geen moment zit Jacco met de mond vol tanden. Enthousiast verhaalt hij over zijn aanpak in het verleden en hoe succesvol die uitwerkte. Successen die hij ook in dit hotel wil toepassen.

Zijn grijze ogen kijken haar aan. Grijze ogen waarin ze de lichtjes herkent. Jacco Dupeur... In zichzelf herhaalt ze zijn naam. Dat lijkt helemaal niet op Chris van Rijn. Haar verwarring neemt toch weer toe. Hij is breder dan Chris, maar dat zal ook met het verstrijken van de jaren te maken hebben, net zoals die lijnen in zijn gezicht. Hij is niet eens knap te noemen. Daarvoor is zijn neus te breed, zijn gebit te onregelmatig. Ineens kijkt hij haar afwachtend aan en ze merkt dat hij een reactie van haar verwacht. 'Ja,' zegt ze op goed geluk. 'Ja, dat lijkt me ook.'

Opgelucht constateert ze dat het blijkbaar een acceptabel antwoord is. Joris Verkuijl, de scheidend manager, neemt het woord. Langzaam maar zeker komt Vera weer tot haar positieven. Ze maakt aantekeningen, weet toch nog een paar zinnige vragen te stellen, maar voelt zich desondanks opgelucht als het gesprek met Jacco Dupeur ten einde is.

'Aardige vent,' merkt Marius op. 'Lijkt me competent ook. Ik hou een goed gevoel aan dit gesprek over.'

Joris Verkuijl fronst zijn wenkbrauwen. 'Ik weet het niet,' reageert hij voorzichtig.

'Ik wel,' gaat Marius verder. 'Hij is de enige bij wie ik vanmorgen het idee heb dat hij de capaciteiten bezit om een zaak als deze te runnen. Wat vind jij ervan, Vera?'

Ze zou willen dat ze hem nooit meer hoefde te zien. Tegelijkertijd wil ze nog eens in die grijze ogen kijken, die haar verleden open hebben gewoeld als een mol een perfecte grasmat. 'Ik heb er ook een

positief gevoel over,' zegt ze bedachtzaam. 'Ik denk dat we deze meneer maar voor een tweede gesprek moeten uitnodigen.'
Joris geeft de voorkeur aan een vrouw. Er zullen twee brieven de deur uit gaan.
Ze ziet hoe Marius haar tevreden toeknikt. Het is wel duidelijk dat de kansen voor Jacco aanzienlijk hoger liggen dan voor de vrouwelijke sollicitant. Jacco... Ze heeft de neiging om hem Chris te noemen. Is het mogelijk dat iemand zo veel op een ander kan lijken? Of misschien lijkt hij helemaal niet op Chris en verbeeldt ze het zich. Maar waarom zou ze het zich verbeelden? Chris is al lang verleden tijd. Al jaren.
Bovendien heeft Jacco Dupeur op geen enkele wijze laten blijken dat hij iets bekends in haar ontdekte. Ze haalt diep adem voor ze opstaat. Jacco Dupeur is een ander dan Chris van Rijn. Punt uit.

Marius Goedhardt was trots toen hij het prachtige Hotel Emma kon openen in een historisch pand in het centrum van Zwartburg. Vroeger was hij een spichtig jongetje, dat op school werd gepest. Misschien was dat juist de reden dat hij zich later helemaal op zijn hobby wierp: kok worden. Toen dat was gelukt, was het bijna vanzelfsprekend dat hij doorging tot hij in zijn vak het hoogste had bereikt: topkok. In het hart van de stad begon hij een klein restaurant, dat al snel een goede naam kreeg. Niet lang daarna opende hij ook nog een hotel in een klein, maar prachtig historisch pand. In minder dan geen tijd was hij in Zwartburg een bekende verschijning geworden, ook al omdat hij af en toe meewerkte aan een kookprogramma op de regionale televisie.
Zijn succes gaf hem zelfvertrouwen, dat op zijn uiterlijk afstraalde. Wilde hij zich vroeger vaak onzichtbaar maken, tegenwoordig durfde hij er best te zijn. Tot zijn verbazing was hij op zijn dertigste een begeerde vrijgezel geworden. Hij hield zich voor dat hij het te druk had voor een relatie, tot hij Vera van Duijvenbode tijdens een culinair evenement ontmoette, waar ze als gastvrouw voor een concur-

rent optrad. Zij was negenentwintig, hij vijfendertig. Ze keken elkaar aan en wisten dat ze bij elkaar hoorden. Vanaf dat moment was het vanzelfsprekend dat Vera gastvrouw werd in het restaurant van Marius.

Twee jaar later trouwden ze. Weer een jaar later werd de tweeling geboren, twee kleine meisjes die ze de namen Gwenn en Britt gaven. Marius was de koning te rijk. Vera ging minder werken. De tweeling kwam op de eerste plaats en ze had er haar handen vol aan.

Hotel Emma was zijn trots. Het was van oorsprong een ziekenhuis, aan het eind van de negentiende eeuw in een gewoon huis gesticht door een groepje nonnen. Jarenlang werden er in het gebouw dus zieken verpleegd. Dat kleine begin groeide in de loop der jaren uit tot het imposante Emma Ziekenhuis, dat in de volksmond nog heel lang het Rooms-Katholieke Ziekenhuis bleef heten, ook al was er geen non meer te bekennen.

Kort na de eerste verjaardag van de tweeling werden in Zwartburg plannen bekend over het samengaan van het Emma Ziekenhuis met het andere ziekenhuis van de stad. Er werd één groot medisch centrum aan de rand van Zwartburg gebouwd. Daarmee kwam er in het historische centrum een unieke locatie beschikbaar waarbij elke horeca-ondernemer z'n vingers zou aflikken. De eerste die zich dat realiseerde, was Marius.

Hij droomde van een hotel en een restaurant in het oude ziekenhuis. Hij droomde van nog veel meer. Op de bovenverdieping moest een gastronomisch paradijs komen, met grote ramen die een prachtig uitzicht over Zwartburg boden. Voorlangs zou een lang balkon uitgebouwd worden, waar de mensen op zomerdagen tot in de avond konden genieten van de zon. Hij had al een naam bedacht: La Vista. Marius mijmerde over een Grand Café, een paar verdiepingen lager. Daar zouden de gasten voor minder geld van een uitstekende lunch of heerlijk diner kunnen genieten. Op de begane grond had hij een plek voor een lunchroom gereserveerd. Marius zag het als een ontmoetingsplek voor de doorsnee-Zwartburger die een kopje koffie

wilde drinken tijdens het winkelen of na de vrijdagse markt. De beste bakker van de stad mocht het gebak leveren.
Marius wilde vergaderzalen, een feestzaal, zwembad en sauna. Hotel Emma moest een begrip worden in Zwartburg en omgeving. De kale ziekenzalen zouden worden omgetoverd tot luxe hotelkamers waarin alleen enkele antieke accessoires uit het vroegere ziekenhuis nog aan het verleden herinnerden.
Marius zag sterren.
Hij bleef nooit lang dromen. Al snel zette hij stappen. Vera stond, zoals altijd, achter hem. Dit keer had ze echter niet verwacht dat het hem werkelijk zou lukken.
Het lukte Marius wel. Hij wist het gemeentebestuur te overtuigen met zijn enthousiaste verhalen over een hotel dat niet alleen voor toeristen bestemd was, maar ook voor zakenlui. Hij sprak over werkgelegenheid en uitstraling voor de stad. Marius' dromen werden werkelijkheid. Tweeëneenhalf jaar later waren het kleine hotel en het gemoedelijke restaurant van Marius verkocht en werd zijn nieuwe project geopend door de burgemeester. Hotel Emma omvatte tevens panoramarestaurant La Vista, Grand Café Mezzanino en lunchroom L'Incontro. In Zwartburg heette het gewoon allemaal Hotel Emma en het werd al snel bekend dat je er op de verschillende verdiepingen ook erg lekker kon eten.
Emma werd een begrip in de stad, maar ook in hun leven. Marius ging niet naar de zaak of het restaurant, maar hij ging naar 'Emma', alsof het om een familielid ging.
De media besteedden ruim aandacht aan de nieuwe aanwinst voor Zwartburg en prezen de strakke, maar toch warme inrichting. De culinair recensent sprak in een gerenommeerd dagblad lovende woorden over de gerechten die hij in het gastronomisch paradijs had geconsumeerd. Al snel was het hotel volgeboekt, kwamen er steeds meer aanmeldingen voor het conferentiecentrum binnen, werd de lunchroom een rustplek voor winkelende dames, liep de sauna als een trein en werd het kleine, maar prachtig ingerichte

zwembad door de gasten zeer gewaardeerd.
Een kleine domper volgde een paar weken geleden toen Joris Verkuijl aangaf dat hij een nieuwe baan in het westen van het land had gevonden. 'Kleiner en gemoedelijker,' meende hij. 'En naar mijn idee past dat beter bij me.'
Marius had zich zorgen gemaakt. Joris draaide al zo lang binnen zijn bedrijf mee. Voor zijn gevoel was hij meegegroeid. Hij zag ertegen op om met een ander verder te moeten, maar Joris was niet te vermurwen. 'We zoeken samen naar een goede opvolger,' had hij geruststellend tegen Marius gezegd. 'Er lopen voldoende gekwalificeerde managers in Nederland rond.'
In Jacco Dupeur leek Marius die nu te hebben gevonden. Dat Joris twijfelde, vond hij vervelend. Dat Vera het met hem eens was, versterkte hem in zijn gevoel dat het goed zat. Zijn droom kon verder uitgebouwd worden.
Marius was gelukkig.

Vera was ook gelukkig, al werd ze soms duizelig als ze over de astronomische bedragen hoorde die Marius in het project had geïnvesteerd. Ze probeerde vertrouwen te hebben. Marius was een man met een tomeloze ambitie, maar hij zou nooit onverantwoorde risico's nemen. Vera werd 'de vrouw van' en ze probeerde zich in die positie zo goed mogelijk te presenteren. Haar grootste geluk was de tweeling. Gwenn en Britt waren uiterlijk twee identieke meisjes. In gedrag was Gwenn veel brutaler dan Britt, die graag haar zusje volgde, maar zich meer op de achtergrond hield. Vera herkende zichzelf in Britt, moest soms haar uiterste best doen om haar niet te veel te beschermen. Soms was ze zelf verbaasd over de liefde die ze voelde voor haar kinderen. Ze had nooit geweten dat het zo zou zijn.
Ze had zelfs nooit geweten dat het ooit voor haar zou zijn weggelegd. In eerste instantie had ze geweigerd toen Marius haar vroeg om twee dagen in de week de functie van gastvrouw in het hotel en

restaurant te vervullen. Toen de meisjes bijna naar de basisschool gingen, was ze van gedachten veranderd. Voor die twee dagen had ze een prima oppas geregeld, zodat ze zich met een gerust hart aan haar werk kon wijden. Ze genoot ervan.
Vorige week had ze nog gedacht dat ze zo'n gelukkig mens was dat het haar bijna angstig maakte. Verdriet van vroeger was verleden tijd. Dat had ze werkelijk gemeend.
Hoe is het dan mogelijk dat de komst van Jacco Dupeur zo veel emotie in haar oproept? Het is een gedachte die haar maar niet los wil laten en ze ergert zich eraan. Ze had er toch een punt achter gezet?

Nadat het tweede gesprek een week later heeft plaatsgevonden, moet de kogel door de kerk. Wordt Jacco Dupeur de opvolger van Joris Verkuijl of krijgt Hotel Emma een vrouw aan het hoofd?
Joris voelt erg voor die laatste optie. 'Die Dupeur... Ik weet het niet,' probeert hij zijn gevoelens onder woorden te brengen. 'Ik ben me ervan bewust dat ik geen steekhoudende argumenten heb waarom ik deze man niet de juiste persoon vind.'
'Ik heb wel een aantal punten waarom ik niet erg onder de indruk ben van die mevrouw,' brengt Marius er tegenin. 'Eén daarvan is dat ze me niet recht aankijkt, en dan krijg ik altijd het gevoel dat iemand iets te verbergen heeft. Daarnaast heeft ze weinig ervaring. Wat denk jij ervan, Vera?'
Ze aarzelt even. Opnieuw heeft de gelijkenis met Chris haar getroffen in Jacco. Misschien is het verstandiger om voor die mevrouw te gaan.
Haar gevoel overwint. 'Ik denk dat Marius gelijk heeft. Binnen ons bedrijf hebben we behoefte aan iemand met ervaring en overwicht.'
'Jullie moeten met hem verder,' zegt Joris berustend. 'Het is best mogelijk dat zal blijken dat ik helemaal verkeerd zit met m'n gevoel. Dat hoop ik van harte. Uiteindelijk moet jullie mening doorslagge-

vend zijn. Ik zit straks niet met hem opgescheept.' Hij probeert het luchtig te brengen, maar Vera leest de ernst in zijn ogen.
'Mijns inziens is die Jacco een joviale vent die goed met het huidige personeel om zal kunnen gaan.' Marius roert nadenkend in zijn koffie. 'Ik denk dat hij mensen op de werkvloer goed zal weten te motiveren. Ik was onder de indruk van zijn ideeën en de manier waarop hij die wilde realiseren. Bovendien vind ik hem een representatieve verschijning. Vind jij hem eigenlijk aantrekkelijk, Vera?'
Ze schrikt ervan. 'Wat is dat nu voor een vraag?' Een rode blos kruipt vanuit haar hals omhoog. Ze herstelt zichzelf direct en probeert haar warme wangen te negeren. 'Knap zou ik hem niet willen noemen, maar hij heeft zeker iets charmants.'
'Dat bedoel ik, en ook dat is voor zo'n functie een pre, al wegen capaciteiten zwaarder.'
Joris poetst nadenkend de glazen van zijn bril op, maar doet er het zwijgen toe.
'Dan zijn we eruit,' concludeert Marius tevreden. 'Ik denk dat Jacco Dupeur de man is die weet wat een vijfsterrenhotel nodig heeft.'
Joris leunt achterover en sputtert niet langer tegen.
Vera haalt diep adem. Moet ze nu niet gewoon zeggen dat hij lijkt op iemand die ze vroeger erg goed heeft gekend? Is het wel goed als deze man hier komt werken? Kan ze niet beter het zekere voor het onzekere nemen? Ze kan zich natuurlijk heel erg vergissen, maar de gelijkenis roept al zo veel pijnlijke herinneringen op. Haar blik dwaalt naar buiten, waar ze net de bovenste kale takken van de grote eik op het voorplein kan ontwaren. Het jaar is nog jong en de eerste week van januari heeft alleen nog maar kille, grijze dagen laten zien. Ze vouwt haar handen in elkaar. Als ze iets tegen Jacco Dupeur in wil brengen, moet ze het nu doen.
'Vera, jij bent het toch met me eens?' wil Marius nog eens weten. Ze maakt zich los van het winterweer buiten en knikt instemmend.
Daarmee is de benoeming van Jacco Dupeur als general manager van Hotel Emma een feit.

Een maand later doet Jacco zijn intrede in hun hotel, waar hij eerst nog door Joris zal worden ingewerkt. Vera is nerveus op de maandagmorgen van zijn aantreden. Ze heeft geprobeerd zich voor te bereiden. Dit is Jacco Dupeur, houdt ze zich voor. Chris van Rijn zal ze nooit meer zien. Toch kan ze niet voorkomen dat ze opnieuw onder de indruk raakt van zijn verschijning als hij haar de hand drukt. Weer overvalt haar de vreemde gewaarwording dat Chris van Rijn voor haar staat.
Ze ziet zijn grijze ogen, zijn innemende glimlach, en voelt haar hart bonzen. Hij draagt een smaakvol kostuum met een fijne krijtstreep, daaronder een lila overhemd en een ingetogen stropdas die er geweldig bij kleurt. Alleen al daarom lijkt het onmogelijk dat hij de man is die vroeger zo'n indruk op haar maakte. 'Ik hoop op een prettige samenwerking,' zegt hij, en nergens blijkt ook maar uit dat hij haar herkent.
'Daar vertrouw ik op,' antwoordt ze, en ze meent het.

Ze ontmoette Chris van Rijn toen ze twee dagen na haar zestiende verjaardag ging zwemmen in een kolk vlak naast haar ouderlijk huis. Het was een schitterende zomerdag. Ze had vakantie en al vroeg installeerde ze zich met een flink badlaken, een tas met een fles cola en een zak broodjes, alsof ze uren van huis was verwijderd. Soms beeldde ze zich dat ook in. Haar ouders wilden niet op vakantie. Ze vonden het zonde van het geld. Stond hun woning niet op een prachtig plekje aan een dijk die het oude Overijsselse land van de nieuwe Noordoostpolder scheidde? Waarom zouden ze honderden kilometers of meer rijden als ze van hun eigen tuin konden genieten? Tijdens de zomervakantie vertrokken haar vriendinnen naar onbekende oorden, waar ze tal van leuke buitenlandse jongens ontmoetten. Niemand kwam ooit op het idee om haar mee te vragen. In die weken probeerde zij zich thuis te vermaken. Af en toe ging ze met haar ouders en broer een eind fietsen, of een dagje naar een grote stad of een braderie. Met mooi weer ging ze naar de kolk, hele-

maal alleen, voorzien van proviand waaraan ze dagen genoeg zou hebben.
Meestal zocht ze al vroeg haar plekje op. Zo was het grasland rondom de kolk een hele poos van haar alleen. Die morgen was het plotseling anders. Tot haar verbazing lag er al een badlaken en al gauw werd het haar duidelijk dat de eigenaar daarvan met ferme slagen door het water zwom. Op de een of andere manier irriteerde het haar. Elke morgen was zij de eerste die daar aan het water lag, terwijl ze in de loop van de dag steeds meer mensen zag komen. Het voelde nu alsof hij iets had weggenomen wat haar toebehoorde. Ontstemd spreidde ze haar badlaken uit op het gras, een heel eind bij hem vandaan. Ze wachtte met zwemmen tot hij al even uit het water was. Het was alsof ze zijn blik op zich gericht voelde bij elke beweging die ze in het water maakte. Toen er meer badgasten arriveerden, voelde ze opluchting.
Hij was de hele dag op zijn plekje blijven zitten.
De volgende dag arriveerde ze nog vroeger dan normaal en toch bleek hij er ook al te zijn. Nu zwom hij niet. Hij groette haar alsof hij haar kende en met een brede grijns hield hij haar voor dat ze niet zo ver bij hem vandaan hoefde te gaan zitten. Zij lachte als een boer met kiespijn en legde haar badlaken nog verder bij hem vandaan dan de dag ervoor.
Kort na de middag stond hij ineens naast haar en vroeg of ze een ijsje wilde. Ze weigerde en hij wilde de reden weten. Tot haar ergernis bleef hij aanhouden tot ze uiteindelijk toestemde. Hij haalde een aardbeienijsje, kwam met zijn badlaken terug en installeerde zich genoeglijk naast haar. Waarschuwende woorden van haar moeder zetten zich vast in haar hoofd. Wat wilde deze jongeman met zijn ijsje van haar? Hij was misschien wel vijf jaar ouder dan zij. Ze keek om zich heen wie ze om hulp kon vragen als hij handtastelijk zou worden. De mensenmenigte om haar heen stelde haar gerust.
Het leek alsof hij niets van haar terughoudendheid in de gaten had. Hij informeerde naar haar opleiding, wilde weten hoe oud ze was en

of ze nog op vakantie ging. Steeds zag ze zijn blik belangstellend op zich gericht en haar pantser smolt toen ze in zijn ogen keek. Grijze ogen, met lichtjes erin. Ze wilde niet, maar ze moest gewoon steeds weer naar die lichtjes kijken. Zijn stem klonk mannelijk en warm. Ze vond het heerlijk om ernaar te luisteren.
De hele middag bleef hij naast haar zitten. Allerlei onderwerpen kwamen aan bod. Hij informeerde naar haar ouders, haar huis en haar vriendinnen. Geen moment werd hij handtastelijk en aan het einde van de middag realiseerde ze zich dat ze het heerlijk vond dat hij naast haar zat. Met spijt in haar hart nam ze afscheid van hem, met de toezegging dat ze er de volgende dag weer zou zijn, net als hij. De weerberichten voorspelden opnieuw een mooie dag.
De voorspellingen zaten ernaast. Het regende pijpenstelen. Diep teleurgesteld probeerde ze de dag door te komen, hopend dat het de volgende dag beter zou zijn, dat de weermannen er opnieuw naast zouden zitten. Zij hadden voor de komende dagen regen voorspeld. Dit keer kregen ze gelijk. Drie dagen lang liep ze met haar ziel onder haar arm, tot de vierde dag weer overrompelend zonnig begon. Chris lag al op z'n plekje toen zij arriveerde. Ze drapeerde haar badlaken vlak naast dat van hem. Een kwartier later wisselden ze hun eerste kus uit, die het begin inluidde van een warme romance waar niemand in haar omgeving iets van begreep. Zij was een serieus, timide meisje van zestien. Ze zat in de eindexamenklas van de mavo. Hij was een jongeman van twintig met een baan als verkoper in een garage. Chris had een vlotte babbel, hij nam het leven luchtig op. In de garage moest hij er keurig gekleed bij lopen, maar zodra hij thuis was, kleedde hij zich om. Zij zag hem nooit anders dan in versleten jeans, kleurige shirts en, bij iets killer weer, een leren jack.
Vera's ouders waren niet blij met hem. Ze hielden haar voor dat hij niet bij haar paste. Hij was te oud, hij had te veel praatjes. Dat was nou juist wat Vera zo in hem aantrok. Alle ruzies met haar ouders ten spijt, verdiepte haar liefde voor Chris zich elke dag meer.
Dat duurde bijna vijf intense maanden.

En toen, vlak voor Kerstmis, gebeurde het onvoorstelbare: ze kregen ruzie. Het onderwerp daarvan was voor Vera misschien nog wel schokkender dan de ruzie zelf.

Het was vrijdagavond. Samen waren ze naar een discotheek geweest, maar Chris leek zich daar niet te vermaken en daarom waren ze vroeger dan normaal huiswaarts gekeerd. Ze zat bij hem achter op de fiets, haar arm om zijn middel. Ze vond dat hij weinig praatte en informeerde of er iets aan de hand was. Chris reageerde kriegel. Waarom zou er iets aan de hand moeten zijn? Hij vond het vanavond gewoon een keer niet leuk in die discotheek. Bovendien moest hij de volgende morgen weer werken, dus hij wilde het ook niet laat maken.

Even later namen ze afscheid, vlak bij haar huis. Hij had zijn fiets in het gras gelegd. Ze stonden achter de schuur van een woning die al een tijdje te koop stond. Hun afscheid duurde altijd lang, ze praatten, ze kusten elkaar en ze vonden het moeilijk om elkaar los te laten. Die avond was het niet anders. De wind joeg kil over de dijk. Dat is haar nog heel erg bijgebleven: het was behoorlijk koud die avond. Om die reden rammelde Chris aan de deur van de schuur. Tot haar schrik en verwondering gaf die deur mee. Zelfs nu kan ze zich nog de geur die daar hing, herinneren: de bedompte geur van een ruimte die te lang niet is gelucht. Chris vond in het donker toch een hoekje met een oude deken. Zij was vies van die deken en daarom trok hij zijn jas uit en legde die eroverheen. Zijn gezicht was in het donker bijna niet te zien, maar dat hinderde niet. Ze voelde hem en ze was nergens bang voor.

Vera deelde de angst van haar moeder niet, die haar er steeds op wees dat Chris op een leeftijd was dat hij meer zou willen dan alleen een kus. Zij vertrouwde hem. Nooit was hij verder gegaan. Ze had verwacht dat hij dat die avond ook niet zou doen.

Zijn handen openden haar jas, schoven onder haar truitje. 'Dat we toch niet eerder op dit idee zijn gekomen,' had hij gefluisterd. Buiten gierde de kille wind, maar binnen was het ook niet bepaald warm. Zijn handen zochten zich een weg over haar blote huid.

'Ik heb het koud,' rilde ze, en ze wilde haar jas weer dichtdoen.
'Ik maak je warm. Lief klein Veertje, ik maak je warm.' Zijn handen verhinderden haar dat ze de jas weer dichttrok.
'Niet doen. Chris, toe nou...' Ze voelde zijn mond, die van haar hals in de richting van haar borsten gleed. 'Chris, hou nou op!'
Zijn ademhaling klonk diep en maakte haar bang. Het leek wel alsof ze hier met een vreemde lag en ze wilde dit niet.
'Ik moet naar huis,' zei ze met de moed der wanhoop en ze probeerde zich onder hem vandaan te worstelen.
'Je hoeft nog lang niet naar huis. We zijn veel vroeger dan anders.' Zijn adem in haar hals, zijn handen die pogingen ondernamen om haar beha open te maken.
'Ik wil dit niet,' zei ze nog eens en probeerde hem van zich af te duwen, maar hij was te zwaar.
'Kom op, Veertje. Doe niet zo kinderachtig. Stribbel nou niet zo tegen. Je zult zien dat je het hartstikke fijn vindt.'
Met die woorden leek hij helemaal niet meer op Chris die altijd lieve dingen zei. Ze voelde nu ook dat het hem daadwerkelijk gelukt was om haar beha los te maken.
'Chris, nee...' Ze klappertandde. 'Doe dat nou niet, Chris...'
'Doe dat nou niet, Chris,' bauwde hij haar na. 'Je denkt toch niet dat je me steeds aan het lijntje kunt houden?'
Toch haalde hij zijn handen weg en ging rechtop zitten. 'Ik wist echt niet dat je nog zo'n kind was.' Zijn woorden maakten de afstand tussen hen steeds groter.
Ze wilde iets zeggen, maar haar mond beefde zo. Met trillende vingers trok ze haar truitje naar beneden en knoopte haar jas dicht.
'Wanneer spreken we weer af?' wilde ze toch weten.
'Afspreken? Hoezo afspreken?' Het klonk afgemeten. 'Hoe kom je erop? En geef me nu m'n jas maar terug. Zo warm is het hier niet.'
Onhandig stond ze op.
Hij worstelde met zijn jas in het donker. Even later trok hij de rits omhoog.

'Chris, je begrijpt het toch wel?'
'Je hebt me al die tijd aan het lijntje gehouden, alsof ik een klein kind ben,' had hij haar toegebeten. 'Ik wist echt niet dat je zo kinderachtig was.'
Ze begreep niet waarom hij zo was, ze begreep wel dat hij haar alleen maar had willen gebruiken en dat het nu voorbij was tussen hen.
Ze wilde niet huilen, maar de tranen lieten zich niet tegenhouden. Stilletjes rolden ze over haar wangen. Tranen van woede, van verdriet en van vernedering.
Gelukkig was het donker.

Als ze aan de weken erna denkt, voelt ze weer de eenzaamheid, het verdriet waarover ze met niemand praatte. Haar familie had ze kort meegedeeld dat het uit was tussen Chris en haar. De opluchting droop bijna van het gezicht van haar moeder. Niemand informeerde naar de reden.
'Ik vond hem een gladjanus,' zei haar broer Jeroen eerlijk. 'Dus ik kan er niet om treuren.'
Later kwam hij met het verhaal dat een werknemer van de garage waar Chris werkte spoorloos was verdwenen, nadat hij op zaterdag de dagopbrengst niet in de kluis had gestopt, maar in zijn tas. Ze had niet willen geloven dat het om Chris ging en het krantenbericht dat ze er later over las, versterkte dat alleen maar. Het ging weliswaar over een twintigjarige werknemer, maar de initialen klopten niet. Het was absoluut niet C.v.R. Maar of het J.D. was geweest, wist ze nu niet meer.
In die tijd deelde ze haar verdriet met niemand. Daarvoor voelde ze zich te veel vernederd. Uiterlijk leefde ze haar leven gewoon verder, maar vanbinnen was ze gewond. Langzaam maar zeker heelde haar gebroken hart. Wel was ze voorzichtig geworden in de liefde, bang als ze was om weer gekwetst te worden. Mannen hield ze op afstand, tot ze Marius ontmoette.
Met Marius had ze er weer vertrouwen in gekregen. Chris was een

naam op de achtergrond geworden, die met de komst van Jacco opnieuw zijn intrede in haar leven had gedaan.
Ze wilde het niet.
Ze wilde het wel.

2

VERA HOUDT VAN DE SFEER IN HET RESTAURANT ALS DE AVOND AL WAT gevorderd is. Tevreden gasten die een goed glas wijn hebben gedronken en net wat vrolijker zijn geworden dan bij binnenkomst. Soms een onverwacht praatje, heel zelden een klacht, die ze meestal prima weet op te lossen. Na een bezoek aan hun restaurant mag geen gast ontevreden naar huis gaan, was de stelling van Marius altijd. Er konden altijd dingen verkeerd gaan, er konden fouten worden gemaakt die niet direct opgelost konden worden, maar mensen moesten in ieder geval het gevoel hebben dat ze serieus werden genomen.

Achter haar is Marius in de keuken aan het werk. Ze hebben bewust voor een open keuken gekozen, zodat de gasten de bereiding van hun bestelling kunnen volgen als ze daar prijs op stellen. Eerlijkheid en openheid zijn tegenwoordig belangrijke ingrediënten voor succes. Marius praat ook graag over eerlijk koken met de beste ingrediënten. In interviews wordt altijd over bezieling gepraat. Marius kookt met enthousiasme, maar hij praat er even graag over. Af en toe loopt hij het restaurant binnen om bij de verschillende tafels een praatje te maken en te informeren of zijn gerechten in de smaak vallen. Het is een geste die door de gasten erg wordt gewaardeerd.

Vera geniet ervan als ze positieve verhalen over 'hun' Hotel Emma hoort. Ze is net zo met het bedrijf verweven als Marius. Ze houdt van de sfeer, van het geroezemoes, van de kaarsen op tafel die een zacht licht verspreiden, van de gasten die zich zichtbaar op hun gemak voelen. Dat was haar opzet toen ze samen met Marius de inventaris uitzocht. Het restaurant moest een trendy uitstraling krijgen, maar tegelijkertijd warm en huiselijk zijn. De lichte, strak vormgegeven stoelen met de donkere tafels, ogen modern. Door de wanden die heel lichtgrijs zijn, lijkt de ruimte groter, de donkerrode wand achter de bar zorgt ervoor dat het geheel niet steriel wordt. Vera brengt nog een fles van een van hun beste wijnen naar een tafel waar een drietal managers van een groot bedrijf is aangeschoven. Ze uiten hun bewondering over de prachtige locatie en staan een tijdlang genietend voor de grote ramen, waar de stad zich vol twinkelende lichtjes vertoont. Als ze met een glimlach terugloopt, ziet ze Jacco het restaurant binnenkomen. Vormelijk knikt hij in haar richting. Sinds het begin van deze week staat hij er alleen voor. Ze hebben met een receptie afscheid genomen van Joris en tegelijkertijd Jacco officieel verwelkomd. Het valt haar ineens op dat zijn borst nu veel meer naar voren steekt. In die week lijkt zijn zelfvertrouwen behoorlijk te zijn toegenomen. Hij stevent rechtstreeks af op Janita, de jonge vrouw die vanavond bardienst heeft, en wisselt een paar woorden met haar. Janita krijgt een kleur en knikt heftig. Jacco glimlacht. Het is duidelijk dat hij diepe indruk op Janita maakt. Waarom ziet Vera nu toch weer zichzelf?

Zij was destijds nog veel jonger dan Janita nu, maar kennelijk maakte dat niet uit. Als Chris vroeger naar haar keek, voelde ze zich blij en trots. Nu slaat ze haar armen over elkaar, alsof ze zo een buffer tussen zichzelf en het verleden kan creëren. 'Hou eindelijk op,' zegt ze tegen zichzelf. Haar blik glijdt naar de keuken, waar Marius, samen met twee medewerkers, hard aan het werk is. Ze houdt van dat beeld, van Marius met zijn witte koksjas, van de bezieling waarmee hij kookt, de manier waarop hij de andere koks aanwijzingen geeft.

Dan glijdt haar blik opnieuw door het restaurant. Fieneke, van de bediening, brengt nagerechten naar een van de tafels. Onhandig manoeuvreert ze tussen een paar tafels door en als ze haar eerste 'droom van de kok' op tafel wil zetten, glijdt de rest bijna van haar dienblad af. Het gaat nog net goed. Vera verbaast zich erover. Fieneke lijkt nerveus, terwijl ze een ervaren kracht is die ze vrijwel nooit op onhandigheid kan betrappen.

Als Fieneke terugloopt, vindt ze Jacco op haar weg. Ook op haar wangen verschijnt een blos, maar anders dan bij Janita lijkt dit meer met agitatie te maken te hebben. Vera ziet dat Jacco iets tegen haar zegt. Zij lijkt er iets tegen in te brengen. Ze praat en probeert haar woorden kracht bij te zetten met haar vrije arm. Jacco schudt zijn hoofd, duidelijk afkeurend. Langzaam loopt ze zijn richting uit. 'Voor jou heet ik meneer Dupeur, onthoud dat goed,' kan ze nog net opvangen voordat hij zich met een innemende glimlach tot haar richt.

'We zijn hier gewend om elkaar te tutoyeren,' merkt ze zachtjes op, terwijl Fieneke met rode wangen aan haar volgende bestelling begint.

'Meneer Verkuijl beweerde dat een informele manier van omgaan met elkaar de kwaliteit binnen het bedrijf ten goede zou komen, maar mijn ervaringen zijn anders,' zegt Jacco zonder blikken of blozen. 'Als iedereen zijn plaats kent, schept dat duidelijkheid. Ik heb hier de supervisie. Mijns inziens komt het mijn overwicht niet ten goede als iedereen op de werkvloer mij maar gewoon Jacco noemt.' Hij glimlacht. 'U kunt het daar niet mee eens zijn, maar ik heb het met uw man afgesproken.'

'Reken er maar niet op dat ik meneer Dupeur ga zeggen.' Vera laat haar blauwe ogen over zijn verschijning glijden. Hij lijkt een onuitputtelijke voorraad overhemden en stropdassen te bezitten die hij dagelijks afwisselt onder zijn twee kostuums – het staalgrijze en dat met het krijtstreepje. Vandaag draagt hij een smetteloos lichtgrijs overhemd en in de stropdas komt dezelfde kleur terug, afgewisseld met koraalrood.

'Dat is aan u,' merkt hij afgemeten op. Uit de binnenzak van zijn colbert diept hij een mobiele telefoon op. 'Als u mij nu wilt verontschuldigen? Ik zie net dat er voor me gebeld is.'

Zonder haar antwoord af te wachten, loopt hij langs haar heen het restaurant uit, haar totaal overbluft achterlatend.

Natuurlijk had Jacco haar meteen herkend. Sterker nog: Vera was de reden dat hij bij dit prachtige hotel had gesolliciteerd. Hij had haar al die jaren na zijn terugkomst in Nederland gevolgd. Hij zag foto's in de krant, ontdekte haar zelfs een keer in een televisieprogramma waar ze samen met haar man Marius te gast was om te vertellen over hun grootse plannen. Hij zat aan de buis gekluisterd. Hij herkende haar direct aan haar lach, aan haar heldere stem en aan haar grote, lichtblauwe ogen.

Vera, zijn meisje.

Twintig jaar geleden was het dat ze samen aan die kolk zaten. Allebei nog jong en vol plannen. In die tijd was Vera veel onschuldiger dan hij. Zijn vader had al zijn onschuld er in de loop der jaren uitgeslagen. Vera wist nog niet wat haat was.

Jacco loopt langzaam van Hotel Emma naar huis. Op dit tijdstip ademt Zwartburg rust. In een snackbar staan drie mensen, op straat rijdt af en toe een auto voorbij, fietsers zonder licht passeren. Jacco wandelt door stille straten, verlicht door straatlantaarns en schijnsel vanuit de huizen. Nadat hij zijn gezicht eerst in La Vista had laten zien, was hij nog even voor een kopje koffie naar het Grand Café gegaan. Alles was rustig, iedereen leek tevreden. Hij had besloten dat zijn dagtaak erop zat.

In deze beginperiode maakte hij lange dagen. Hij wil het bedrijf en het personeel zo goed mogelijk leren kennen. Later kon hij het wel wat rustiger aan doen. Nu moet hij zich laten gelden en laten zien waar hij voor staat.

De klok van de Grote Toren van Zwartburg slaat elf keer. Hij ademt diep in en uit, besluit nog een eindje door te lopen. De kille avondlucht maakt hem rustig. Mensen exposeren zich in hun verlichte huiskamers. Bijna overal ontdekt hij hetzelfde beeld: mannen en vrouwen, hangend tegenover de televisie als toonbeeld van passief vermaak. Hij richt zijn blik weer op straat. Als vanzelf dwalen zijn gedachten weer naar Vera af.

Na al die jaren lijkt ze nog dezelfde onschuld te bezitten als twintig jaar geleden. Hij had het gemerkt bij hun ontmoeting tijdens het sollicitatiegesprek. Ze had hem ogenblikkelijk herkend. Haar ogen hadden haar verraden, evenals de blos op haar wangen. Hij had de

verwarring van haar gezicht kunnen scheppen. Even was hij bang geweest dat ze zichzelf, en daarmee hem, zou verraden, maar ze had zich hersteld en niemand had iets in de gaten gehad.
De kou bijt in zijn gezicht en laat zijn ogen tranen. Hij steekt zijn handen diep in de zakken van zijn lange, zwarte jas.
Vera was hem al die tijd veel meer blijven bezighouden dan hij wilde. Meer dan eens had hij zich afgevraagd wat er van haar geworden was. De vrijdagavond voor zijn vertrek was hij woedend op haar geweest. Hij had haar verkeerd ingeschat. Voor hem was het vanzelfsprekend dat ze na zo veel maanden verkering verder zouden gaan dan een lange kus en wat gefriemel.
Die schuur was uitstekend geschikt. Hij had naar haar verlangd, maar zij wees hem botweg af. Haar weigering had hem pijn gedaan. Blijkbaar hield zij niet zoveel van hem als hij van haar en dat gevoel kende hij te goed. Hij kon er niet tegen. In de nacht erna had hij nauwelijks geslapen. Hij voelde zich afgewezen, miskend en aan de kant gezet. Wat verbeeldde ze zich wel? Was hij niet goed genoeg? In de donkere nacht nam de duisternis van zijn gedachten ook steeds meer toe. Hij had nauwelijks geslapen toen hij die zaterdagmorgen naar zijn werk vertrok. Zijn boosheid smeulde na en laaide weer op toen hij in de garage onheus werd behandeld. Dat was de druppel. Het moment waarover hij meer dan eens gedacht had, was plotseling daar. Zijn baas vertrok opgewekt naar huis, ervan uitgaand dat Jacco de kluis met de mooie inhoud van een goede zaterdag zorgvuldig zou afsluiten.
Schuldgevoel had hij naderhand tegenover zijn werkgever niet gevoeld, noch tegenover zijn ouders, die de schande bijna niet konden dragen. Zijn vader kampte met hartproblemen, zijn moeder moest de hulp van een psycholoog inroepen. Hun verwijten bleven hem achtervolgen en daarom had hij een jaar geleden besloten om het contact met hen helemaal te verbreken.
De opluchting die dat bij hem teweegbracht, had hem zelf verrast.
Die zaterdag, terwijl hij in de trein zat die hem steeds verder van huis

voerde, betrapte hij zich erop dat hij naar Vera verlangde. Zijn woede smolt weg en maakte plaats voor twijfel. Twijfel ging over in schuldgevoel.
Vera was naïef en eerlijk en hij had daar misbruik van gemaakt. Hij had haar onkundig gelaten van zijn achtergrond. Als ze naar zijn ouders vroeg, wist hij zich er altijd met een smoes van af te maken. Zo was ze er nooit achtergekomen waar ze woonden. Hij had haar zelfs zijn ware achternaam niet onthuld.
De lange rit per trein had hem alle ruimte voor gedachten gelaten en zo ontdekte hij dat hij veel meer achterliet dan hij had vermoed. Vera hield echt van hem. Hij had het steeds weer in haar ogen gelezen en in haar stem gehoord. Hij had zich te veel laten leiden door zijn eigen pijn en zich daardoor te snel afgewezen gevoeld. In die trein drong dat langzaam tot hem door, maar toen was er geen weg terug. Twintig lange jaren waren verstreken en in meer of mindere mate was ze altijd in zijn gedachten gebleven. In al die jaren had hij geen vrouw gekend die zo puur van hem had gehouden. Hij vroeg zich steeds vaker af hoe zij die periode had ervaren en hoe ze tegenover hem stond. Zou ze kwaad op hem zijn gebleven of had ze hem vergeven? Dacht ze nog weleens aan het verleden? Ze was in die tijd een meisje en hij vormde haar eerste ervaring op liefdesgebied. Hij was zich er heel erg van bewust dat het geen positieve ervaring voor haar was geweest. Misschien was dat mede de aanleiding dat hij haar was blijven volgen.
Vera had voor een carrière in de horeca gekozen. Hij ging eerst een andere kant op, maar kwam uiteindelijk toch als manager in een hotel terecht. Hij hield zichzelf voor dat het toeval was.
Toen hij de advertentie van Hotel Emma in een vakblad ontdekte, aarzelde hij geen moment om te solliciteren, hoewel hij niet wist wat hij ervan verwachtte. Bovendien meende hij dat hij geen schijn van kans had. Vera zou hem zeker verraden als hij op gesprek mocht komen.
Wat had haar bezield om haar mond te houden? Wilde ze hem een

kans gunnen? Twijfelde ze? In ieder geval was er nu geen weg terug. Hij had zich opnieuw binnen weten te dringen in haar bestaan en hij zou die plek niet makkelijk opgeven.
Langzaam maar zeker nadert hij zijn huis, dat vlak bij het hotel ligt. Binnen vijf minuten kan hij op zijn werk zijn. Via Marius heeft hij de kleine maar comfortabele woning kunnen huren. Marius, zijn baas. Zoals Vera in principe zijn bazin is. Laat ze zich maar niet verbeelden dat hij dat in haar ziet. Zelfs niet nadat ze vanavond heel erg haar best heeft gedaan om gezag uit te stralen en hem haar wil op te leggen. Binnen een vijfsterrenhotel behoort het personeel de general manager niet te tutoyeren. Hij zal zelf Vera in het openbaar mevrouw Goedhardt blijven noemen, of ze daar nu voor voelt of niet. In zijn ogen zal ze het meisje van toen blijven. Het meisje dat met grote, verliefde ogen naar hem opkeek. In al die jaren is ze haar onschuld niet kwijtgeraakt. Hij ziet het aan haar, zelfs als ze haar uiterste best doet om hem te laten voelen dat ze zijn meerdere is.
Dat zal haar niet lukken. Dat zal geen mens meer lukken. Daarvoor heeft hij te veel meegemaakt.
Heel even staat hij stil, kijkt omhoog naar het verlichte hotel dat boven zijn hoofd uit torent.
Hij wil nooit meer voor iemand op zijn hoede zijn. In zijn maag drukt iets zwaars waarvan hij meende dat het niet meer bestond. Hij had het verleden afgeschud. Hij hoeft geen angst meer te voelen, niet meer op zijn hoede te zijn.
Het verleden is voorbij.

Jacco wist niet precies wanneer het begonnen was. Voor zijn idee al in zijn vroege jeugd. Het terrein met de houten huisjes was er altijd geweest, en de gasten voor wie zijn vader zich het vuur uit de sloffen liep. Hij herinnert zich nog het ruisen van de bomen in het omringende bos, de heerlijke geur van vochtige aarde en de doordringende stank van de toilethuisjes. Hij kan zo de schelle stemmen van de vakantiegangers horen, die zich om het hardst beklaagden dat de toiletten niet schoon genoeg waren – toiletten die ze zelf meer dan eens beestachtig vervuilden. Hij weet nog hoe zijn moeder dan keek; hij voelt nog de klamme warmte van haar lichaam als hij zich aan haar vastklemde. Nu nog ruikt hij de geur van haar angstzweet. Ze werkte zo hard. Maar nooit hard genoeg om hem de harde handen van zijn vader te besparen. Eerst herkende hij die samenhang nog niet. Hij signaleerde alleen aan de houding van zijn vader dat het weer mis was en dat hij zich heel rustig moest houden. Blijkbaar was hij daar niet zo goed in, want vrijwel altijd kwam het moment dat de woede van zijn vader zich op hem richtte. Onverwacht raakte de eerste klap hem en die deed zijn oren suizen. Toen hij klein was, begon hij te huilen en te jammeren, en dat scheen zijn vader nog veel meer op te winden. Een paar jaar later zweeg hij, hield zijn snikken in, voelde hoe zijn woede door zijn ogen werd uitgespuugd. 'Kijk niet zo!' schreeuwde zijn vader dan, en ook die stille blik van Jacco deed hem exploderen.

Jacco was de gedoodverfde opvolger van zijn vader, als eigenaar van het vakantiepark dat in de loop der jaren steeds meer werd uitgebreid. Op een gegeven moment werd zijn moeder ontheven uit haar functie van schoonmaakster. Zijn vader nam voor hetzelfde werk twee dames in dienst. Nu mocht zijn moeder bij de receptie zitten en de administratie bijhouden in het kantoortje dat daarachter lag. De vooruitgang rukte op.

Houten huisjes werden vervangen door keurige stenen bungalowtjes met eigen douche en toilet. Er kwam een kampeerterrein bij waarop een modern toiletgebouw verrees. Tussen het veld met de tenten en caravans en het bungalowterrein werd een zwembad met glijbaan aangelegd.

Alles was in de loop der tijd veranderd, behalve zijn licht ontvlambare vader. Jacco was groot geworden. Groter dan zijn vader. Die sloeg nu niet langer met zijn handen, maar met woorden. Jacco kon niet tegen hem op. Tijdens de zomervakanties werd er van hem verwacht dat hij zijn ouders hielp. Alles in hem verzette zich daartegen.

Hij wilde elders werken, ver bij zijn vader vandaan, maar hij durfde diens wil niet te trotseren en kropte zijn woede en frustratie op. Zo werd hij elke zomer weer vernederd in het bijzijn van de gasten.
Wat precies de reden was dat hij op een dag toch de moed vond om tegen zijn vaders wil in te gaan, weet hij eigenlijk zelf niet. Misschien voelde hij gewoon dat het genoeg was, dat hij weigerde alles nog langer te slikken. In ieder geval kondigde hij aan dat hij werk had gevonden in een garage in Zwartburg, vijftig kilometer bij het recreatiecentrum vandaan.
Zijn vader spuwde vuur. Buiten zichzelf van woede hield hij Jacco voor dat hij een ondankbare zoon was. Had hij zich niet bijna doodgewerkt om dit fantastische recreatiecentrum voor hem op te bouwen? Er stond een gespreid bedje voor hem klaar.
Natuurlijk verbood hij Jacco om te gaan. Hij schreeuwde en hij dreigde. Langzaam maar zeker welde zijn drift weer op, zijn handen jeukten om zijn zoon een flink pak rammel te geven.
Toen keek hij in Jacco's ogen. Zijn handen zakten naar beneden. De drift ontsnapte hem als lucht uit een ballon. 'Ik verbied het je,' zei hij nog eens, maar de kracht was uit zijn woorden verdwenen.
Diezelfde avond had Jacco zijn ouderlijk huis verlaten. Via de garagehouder was hij aan woonruimte gekomen. Zijn kleding en belangrijkste spullen stonden al gepakt. Terwijl zijn vader meende dat Jacco op zijn slaapkamer was, pakte die zijn spullen bij elkaar en liep het huis uit.
Hij wist dat hij zijn vader zo het hardst raakte.

Jacco's huis is klein, donker en ongemakkelijk stil. Het ligt ingeklemd tussen twee ruimere woningen. Beneden is een kleine berging, daarnaast een trap die naar de kamer op de eerste verdieping leidt. Marius heeft er ooit zelf kort in gewoond, voordat zijn werk een succes werd. Daarna is het een soort doorloopwoning voor personeel geworden.
In de woonkamer staan de noodzakelijke meubels, aan de muur

maakt een ingelijste poster van een colareclame het gevoel van onpersoonlijkheid nog groter. Het geheel was gestoffeerd. Hij kon er zo in. Hij kan er ook weer zo uit.
Hij knipt de lichten niet aan, staat een poos voor het raam te kijken naar de stille straat beneden hem. Als hij zich iets voorover buigt, kan hij het hotel zien liggen.
Via de dunne wanden sijpelt muziek van de buren binnen. Hij hoort vrolijke stemmen en af en toe een luide lach. Er lijkt een gezellig feest aan de gang. Zijn huis lijkt ineens nog stiller. Even aarzelt hij, dan knipt hij een lampje aan en drukt een nummer in op zijn telefoon.
'Meneer Dupeur hier,' zegt hij opgewekt als de stem aan de andere kant zich meldt.
De montere lach van Janita schalt in zijn oor. 'Mevrouw Goedhardt wil er niet aan, hè? 'In Hotel Emma hebben wij zo onze eigen gewoontes en daar mag vooral niet aan getornd worden,' bauwt ze Vera na. 'Je zult er nog een harde dobber aan krijgen om de sporen van Joris uit te wissen.'
'Daar baal ik van.' Hij heeft zijn colbert uitgetrokken, weet nu met één hand ook zijn stropdas los te wrikken en laat die achteloos op de bank vallen.
'Je bent nog maar net begonnen,' zegt ze geruststellend. 'In het begin hebben mensen altijd de neiging om vergelijkingen te maken. Het heeft tijd nodig om zelf je sporen uit te zetten. Dat zou je inmiddels moeten weten.'
'Iedereen kan toch zien dat dit vijfsterrenhotel wordt geleid alsof het een boerenschuur is.' Geërgerd ijsbeert hij door de kamer.
'Dit is Zwartburg, Jacco.'
'Ook Zwartburg is nou niet bepaald een gehucht.'
'Zwartburg is niet te vergelijken met Amsterdam of Den Haag.'
Hij hoort haar giechelen en dat ergert hem. Met vrouwen weet je nooit waar je aan toe bent. Zo liggen ze aan je voeten en zo nemen ze je in de maling.
'Ben je al thuis?' stapt hij op een ander onderwerp over.

'Nee, ik ben net klaar en wilde me omkleden.'
'Kom je nog even hier?'
Hij hoort haar aarzeling.
'Je hoeft niet lang te blijven. We drinken samen een glaasje wijn en dan ga je naar huis.'
Opnieuw klinkt haar lach. 'Dan kan ik niet langer weigeren.'
Nadat hij het rode knopje van de telefoon heeft ingedrukt, krijgt hij ineens haast. Papieren op tafel legt hij op een keurige stapel, de kussens op de bank schudt hij netjes op. Hij steekt kaarsen aan, zet een cd met romantische Italiaanse mannenstemmen op en zet glazen klaar. In de keuken zoekt hij een goede fles rode wijn uit en ontkurkt die alvast. Straks zal ze komen. Ze is altijd van plan om maar even te blijven.
Hij glimlacht en hij wacht.

Het zwembad van het hotel ziet eruit alsof het onderdeel is van een warm en zonnig oord. De kleine, gekleurde steentjes dragen daaraan bij, maar ook het warme licht en de exotische palmen. De temperatuur van het water is aangenaam, rondom het bad staan ligstoelen waar de gasten graag gebruik van maken. Vera heeft op de vrije woensdagmiddag van Gwenn en Britt beloofd dat ze mogen zwemmen. Daarvoor hebben ze eerst samen met Marius geluncht in het Grand Café. De monden van de twee meisjes stonden geen moment stil.
Nu laat Vera zich ontspannen in het water zakken terwijl de tweeling met gekleurde manchetten rond hun armen in het bad spettert. Het is rustig op dit tijdstip, zo vlak na lunchtijd. Wat later op de middag lijken de meeste gasten tegelijkertijd behoefte aan een duik te krijgen. Nu ligt er alleen een oudere dame met gesloten ogen in een ligstoel.
Vera laat zich drijven. Het warme water is een weldaad voor haar spieren, het jaagt de stress uit haar lichaam. Ze kijkt niet op als de deur van de kleedruimte geopend wordt, die vanaf de kant van het

hotel betreden kan worden.
Pas als ze een bekende stem hoort die de oude dame groet, opent ze haar ogen en gaat meteen rechtop staan.
'Blijf rustig liggen en stoor je niet aan mij.' Jacco Dupeur grijnst breed als hij zich in het zwembad laat zakken.
Zwijgend kijkt ze naar hem. Haar hart klopt in haar keel.
'Mama, kijk eens, ik kan duiken.' De stem van Gwenn dringt niet tot haar door.
Jacco Dupeur heeft een litteken op zijn bovenbeen, vlak boven zijn knie. Ze kent dat litteken. Hij heeft het opgelopen toen hij als kind ging slootjespringen en verkeerd terechtkwam. In de loop der jaren is het vervaagd, maar ze zag het toch, vlak voordat hij zich onder water liet zakken.
'Heeft mevrouw Goedhardt nog nooit een general manager in zijn zwembroek gezien?' informeert Jacco spottend.
'Mama, kijk nou!' gilt Gwenn.
Ze kijkt. Zonder Jacco nog een blik waardig te keuren, volgt ze de bewegingen van Gwenn, die haar hoofd onder water steekt. De rest wil niet mee dankzij de manchetten. Britt durft nu ook.
'Het was rustig, dus ik vond dat ik me wel even in het zwembad kon ontspannen,' hoort ze Jacco zeggen nadat hij een aantal banen heeft gezwommen. Verwonderd constateert ze dat hij zich tegenover haar probeert te verontschuldigen.
'Jij weet zelf het beste wat je je kunt permitteren,' zegt ze en wijdt zich dan weer aan haar kinderen.
Zwijgend trekt hij nu zijn banen. De mevrouw aan de rand is rechtop gaan zitten en bekijkt het tafereel geïnteresseerd. Na een kwartier verlaat Jacco het bad.
Vera haalt opgelucht adem, maar het lukt haar niet meer om te ontspannen.

Marius staat op datzelfde moment voor het raam van zijn kantoor en staart naar de straat beneden hem. De parkeerplaats voor het hotel

biedt een aanblik die hem niet vrolijk stemt. Natuurlijk is het een doordeweekse dag, maar ook dan zouden er veel meer auto's moeten staan. Hij gokte toch ook op zakenlui? Hotel Emma is voorzien van de nieuwste snufjes op het gebied van communicatie. Een groot aantal kamers is uitgerust met een werkhoek waarin de moderne zakenman alles vindt wat hij nodig heeft. Hotel Emma wil een prettig verblijf bieden aan gehaaste zakenmensen die toch comfortabel willen overnachten, maar eveneens aan verwende toeristen die echt in de watten gelegd willen worden.
In zijn droom was deze parkeerplaats bezet met glanzende bolides van mensen die het gewend waren om geld uit te geven en in ruil daarvoor luxe te ontvangen.
Kort na de opening van het hotel had hij de eerste krantenkoppen gesignaleerd en had hij dat vreselijke woord regelmatig in het journaal gehoord: crisis.
Vanaf dat moment had hij steeds vaker 's nachts wakker gelegen. Hij had zo veel vertrouwen in zijn project gehad. Nu vroeg hij zich af of het niet te groot was, of er niet te veel geld mee gemoeid was, of hij niet te veel had gewild.
Zijn verantwoordelijkheidsgevoel begint hem steeds meer te drukken. Hij heeft een gezin, een prachtige vrouw, twee heerlijke meiden en hij wil ze een zorgeloos bestaan bieden. En dan zijn personeel. Mannen en vrouwen die altijd voor hem klaarstaan. Mensen met gezinnen die van hem afhankelijk zijn, mensen met een huis en een hypotheek.
Er drukt iets op zijn borst dat hem het ademhalen bemoeilijkt. Hij trekt zich terug van het raam, van die veel te lege parkeerplaats. Op dat moment klinken vrolijke kinderstemmen en rennende voeten in de gang. Hij hoort de stem van Vera, die waarschuwt om niet zo veel lawaai te maken. Marius vermant zich. Hij weet wat er nu gaat gebeuren. Er wordt op zijn deur geklopt. Hij wacht extra lang met 'kom maar binnen' zeggen en achter de deur klinkt dan gegiechel. Marius sluit zijn ogen. Hij glimlacht, luistert naar hun opgewonden

gefluister. Vandaag houdt hij nog iets langer zijn mond. Er wordt weer geklopt, iets luider en ongeduldiger. Vera zegt zachtjes dat papa het waarschijnlijk heel erg druk heeft. Dan spreekt hij de verlossende woorden. Twee kinderen storten zich naar binnen, rennen in zijn uitgestrekte armen en vertellen over het zwembad waar ze maar zo in sprongen en dat ze al een beetje kunnen zwemmen. Gwenn beweert dat ze al heel goed kan duiken, waarop Britt roept dat ze gewoon nog de rug en de haren van Gwenn zag. 'Jij durfde helemaal niet,' verweert Gwenn zich verontwaardigd.
Hij kan met moeite zijn lachen inhouden. 'Ik denk dat jullie het allebei al best goed kunnen,' merkt hij voorzichtig op in een poging om deze middag niet in ruzie te laten ontaarden. Hun haren kriebelen in zijn neus, hij ruikt de frisse geur van shampoo. Gwenn vraagt heel zachtjes in zijn oor of hij niet tegen mama kan zeggen dat ze vanavond best een keer wat langer naar de televisie mogen kijken. Bevallig vlijt ze haar armpje rond zijn nek.
Hij kijkt naar Vera, zijn vrouw, de liefde van zijn leven. Ze glimlacht en met die glimlach vloeit de vechtlust in hem terug. Crisis of niet, hij zal z'n schouders eronder zetten. Hij vindt nieuwe wegen om een succes van zijn hotel te maken. Zijn gezin krijgt een gegarandeerd zorgeloos bestaan. Hij zal daarvoor zorgen.

's Avonds gaat het regenen. Tegen elven staat Jacco onder het afdakje van een winkel in elektronische apparatuur, die er op dit uur verlaten bij ligt. Nauwlettend houdt hij de ingang van Hotel Emma in de gaten. Tegen zessen was hij al naar huis vertrokken, om daar tot de conclusie te komen dat hij zijn draai weer eens niet kon vinden. Hij kijkt naar de verlichte ramen. Te veel ramen zijn nog in duisternis gehuld. Binnen het hotel moet er nog heel wat veranderen. Nu worden er tegenstrijdige signalen afgegeven. Enerzijds pretendeert het een vijfsterrenhotel te zijn, anderzijds draagt het de sfeer van een dorpshotel uit. Hoe kan Marius verwachten dat zijn personeel respect voor hem heeft als hij doet alsof hij één van hen is? Respect

moet er zijn. Als het personeel respectvol met zijn meerderen omgaat, straalt het dat uit naar de gasten toe. De gasten die Hotel Emma wil trekken, waarderen dat. Hij is ervan overtuigd en hij zal het bewijs leveren. Marius is een uitstekende kok, maar hij geeft slecht leiding, om het over Vera maar helemaal niet te hebben.
Er lopen mensen langs hem heen, een ouder echtpaar, weggedoken onder hun paraplu. Jacco wiebelt van zijn ene voet op de andere in een poging zijn voeten op te warmen, maar de kou lijkt vanuit de grond zo door zijn schoenzolen heen te trekken. Er is sneeuw voorspeld. De gure wind voert de kou al aan.
Hij kijkt op zijn horloge, fixeert met zijn blik de toegangsdeuren, die zich stil door de regen laten geselen.
Ineens wordt zijn aandacht getrokken. De deuren komen onverwacht in beweging om een vertrouwde figuur door te laten, vanavond gehuld in een opvallende rode regenjas. Ze rent over de parkeerplaats in de richting van haar kleine auto. In haar haast struikelt ze bijna over haar eigen voeten. Zo kent hij haar weer.
Gek, hoe beelden van twintig jaar geleden hem nog zo helder voor ogen staan. Haar haast om bij hem te komen als ze ergens hadden afgesproken, en hoe ze dan bijna altijd struikelde. Hij stond al klaar om haar op te vangen, dat kleine, smalle en onzekere meisje dat hem aanbad.
Zijn grijze ogen absorberen het tafereel op de parkeerplaats, hoe ze over een plas heen springt en even later ongedurig naast haar auto naar de sleutels zoekt. Hij ziet hoe ze ongeduldig van haar ene voet op de andere hipt, net zoals hij even daarvoor heeft gedaan. Eindelijk lijkt ze de sleutels te hebben gevonden. Als ze op de bestuurdersplaats is gaan zitten, slaakt hij een zucht. Hij hoort het starten van haar auto, hij ziet de lampen die aanflitsen in het duister. Even later rijdt ze de straat in, scheurt langs hem heen, onkundig van zijn aanwezigheid.
In al die jaren is ze niets veranderd. Haar glimlach is dezelfde gebleven, net als de kleur van haar haren, de manier waarop ze haar hoofd

schuin houdt als ze aandachtig luistert. De geboorte van de tweeling heeft haar figuur iets voller gemaakt, maar ze doet hem in veel opzichten nog steeds denken aan het meisje dat hij destijds achterliet. Een kinderlijk naïef kind dat liefdevol en beschermd was opgegroeid. Een meisje dat geen idee had van het milieu waarin hij zich al die jaren staande had moeten houden.
Zou zijn moeder net zo naïef zijn geweest toen ze haar jawoord aan zijn vader gaf? Hij had haar eens gevraagd of ze in haar huwelijk ooit gelukkig was geweest.
'Natuurlijk,' had ze gezegd. 'Het is toch al fijn om bij iemand te horen?'
En nu hoort Vera ook bij iemand. Ze is niet langer dat naïeve meisje. Vera laat zich niet langer iets op de mouw spelden. Hij ziet het aan haar ogen.
Toch zwijgt ze. Hij weet wat haar vanmiddag in het zwembad zo van haar stuk bracht. Het was dom van hem geweest. Hij had er niet bij stilgestaan dat ze dat litteken kende. Toch verwacht hij niet dat ze nu haar mond zal opendoen en hij zal ook nog even zwijgen.
Opnieuw openen de glazen deuren zich. Janita verschijnt onder een felgekleurde paraplu. Langzaam loopt ze in zijn richting. Ze heeft geen haast, ze struikelt niet over haar voeten, maar ze glimlacht wel als ze voor hem staat. 'Waarom sta jij hier te wachten?'
'Omdat ik hoopte je te kunnen overhalen om samen met mij nog een glaasje wijn te drinken.'
Hij slaat een arm om haar heen en kust haar op de mond. Janita is mooi, ze is lief en ze adoreert hem. Dat besef vervult hem met warmte. Ze kijkt naar hem op. Dat weten compenseert zijn gebrek aan liefde voor haar.
'Ik hoop niet dat je erg lang op me hebt staan wachten,' zegt ze terwijl ze haar lange, donkere haren met een achteloos gebaar over haar schouder strijkt.
De kille regen slaat in zijn gezicht. Hij trekt haar dichter tegen zich aan. 'Het geeft niet. Je bent er nu toch?'

In gedachten ziet hij Vera weer over de plas springen. Een vrouw die genoot van haar leven, bij wie nooit een einde aan haar jeugd leek te zijn gekomen.
Met zijn hand veegt hij over zijn natte wangen. Misschien had hij een paraplu mee moeten nemen.

3

DOOR HET RAAM VAN MARIUS' KANTOOR SCHIJNT EEN WATERIGE VOORjaarszon die, ondanks de ingetreden kou, een belofte voor de lente probeert te zijn. Op de parkeerplaats ligt een dun laagje poedersneeuw. Een paar kinderen wagen zich op de bevroren gracht. Hij hoort hun stemmen niet, maar hij kan hun gezichten zien. Hij leest de opwinding en de vrolijkheid op hun lachende gezichten, in de manier waarop ze naar elkaar roepen en elkaar vasthouden.

Hij hield vroeger niet van ijs. Als kind zag hij met angst en beven de temperaturen in de winter dalen. Terwijl koortsachtige opwinding zich van zijn klas meester maakte, nam bij hem de angst toe. Hij was gelukkig als de temperaturen te snel weer stegen. Voor zover hij ooit gelukkig was geweest.

Een aantal keren was het koud gebleven. Zo koud dat de schaatsen uit het vet werden gehaald. De dag kwam waarop zijn onderwijzer met een lach aankondigde dat er 's middags geen school was. Iedereen juichte. Hij kreeg buikpijn. Hij wist al wat er daarna zou komen. 'Vanmiddag worden jullie allemaal op de ijsbaan verwacht, waar we schaatswedstrijden houden!'

Die triomfantelijke lach van meester Willem, het gejoel en geschreeuw van zijn klasgenoten. Hij hoort het nog; hij wrijft over zijn maag, die pijnlijk aanvoelt. Dat vertelde hij tussen de middag aan zijn moeder, dat hij niet lekker was en buikpijn had. 'Je gaat toch naar school,' besliste ze. 'Ik moet straks gewoon weer aan het werk en ik wil niet dat je in je eentje thuis bent.'

'Ik ben altijd alleen thuis als ik 's middags uit school kom,' protesteerde hij.

'Dat is wat anders.'

De discussie was gesloten.

'Ik heb geen schaatsen.' Hij hoopte tegen beter weten in.

'Je weet toch dat je mijn oude schaatsen mee mag nemen? Je hebt nu nog mijn maat.'

'Dat zijn meidenschaatsen!'
'Wat hindert dat nou? Schaatsen zijn schaatsen.'
'Jongens schaatsen nooit op kunstschaatsen,' wist hij.
'Dan kijk jij zeker nooit naar het kunstschaatsen. Die lui draaien echt geen rondjes op noren, hoor.'
Hij wist dat het geen zin had om haar te vertellen dat die kunstschaatsen in ieder geval zwart waren, en niet wit en versleten zoals die van haar. Hij wist dat niets meer zin had en zo vertrok hij naar de ijsbaan die aan de rand van het dorp lag. Als laatste arriveerde hij en dat was misschien dom, want daardoor kreeg hij alle aandacht. Zijn witte kunstschaatsen werden direct opgemerkt. Zelfs meester Willem glimlachte. Alleen juf Lotte van groep vier had medelijden met hem toen de klas hem uitjoelde. 'Jongens, wat maakt het nou uit op wat voor schaatsen je schaatst. Misschien wint Marius straks wel op zijn mooie witte schaatsen.'
Natuurlijk won Marius niet. Marius viel over schaatsen van klasgenoten die snel even hun voet naar voren staken op het moment dat hij langskwam. Marius viel toen hij een harde duw kreeg. Onderwijzers en onderwijzeressen keken altijd net de andere kant op. Ze vonden het blijkbaar niet raar dat hij zo vaak viel op die rare witte kunstschaatsen.
Hij was het buitenbeentje in de klas. Zoon van een gescheiden moeder. Heel af en toe zag hij zijn vader. Niet vaak. Zijn vader reisde de wereld over. Zijn vader vergat de alimentatie vaker wel over te maken dan niet. Zijn moeder werkte zich een slag in de rondte. Ze maakte scholen en kantoren schoon, en toch was er nooit genoeg geld.
Zijn vader had hij nu al jaren niet meer gezien. Hij had geen idee waar de goede man verbleef. Ook met zijn moeder had hij geen warme band. Haar zag hij tegenwoordig af en toe op bijzondere dagen, zoals feest- en verjaardagen. Ze was een bittere vrouw geworden, ondanks het feit dat hij financieel goed voor haar zorgde. Nooit was ze tevreden, haar glas bleef altijd half leeg.

Op het ijs valt een van de kinderen. Hij ziet hoe de mond van het jongetje wijd opengaat, hoe de anderen zich over hem heen buigen. Hij heeft maagpijn en gaat achter zijn bureau zitten, zijn hoofd steunend in zijn handen.
Als er een luide klop op de deur klinkt, vermant hij zich, grijpt wat papieren en doet alsof hij die bestudeert voor hij 'kom binnen' roept. Met een brede glimlach betreedt Jacco Dupeur zijn kamer. Jacco, zijn nieuwe general manager in wie hij net zo veel vertrouwen hoopt te krijgen als in Joris, die jarenlang zijn rechterhand was. 'Zijn beide handen,' grapte Vera weleens. In feite had ze gelijk. Aan Joris liet hij met een gerust hart alles over. 'Vertel het eens,' zegt Marius nu en hij probeert een opgewekte houding aan te nemen.
'Ik weet niet of je tijd hebt,' begint Jacco. Hij heeft een map met papieren in zijn handen.
'Ga zitten,' nodigt Marius hem uit. Zijn maagpijn neemt toe. Hij wordt er misselijk van.

Tien minuten later kijkt hij in het verongelijkte gezicht van Jacco. 'We kunnen onze kop niet in het zand steken. Het is zaak dat we zo snel mogelijk uit die rode cijfers komen.'
'Dat ben ik met je eens, maar dat moet niet ten koste van alles gaan.' Marius leunt achterover. 'We hebben hier negentig mensen aan personeel lopen. Het zijn goede mensen, de meesten werken al jaren bij me en zijn met me mee gegroeid.'
'Misschien is dat juist het probleem,' houdt Jacco aan. 'Ze kennen je al zo lang en ze weten hoe je bent. Volgens mij loopt het merendeel gewoon over je heen. Die Fieneke, als je die ziet bedienen...'
'Er is nog nooit geklaagd over Fieneke. Mijns inziens doet ze het prima en ik hou het vanuit de keuken echt af en toe in de gaten.'
'Dit is een vijfsterrenhotel!'
'Juist! Er zal op van alles bezuinigd moeten worden, maar niet op mijn personeel en niet op de ingrediënten voor mijn gerechten.'
'Waarom heb je me dan aangenomen?'

'Kom met andere ideeën. Ik heb zelf gedacht aan exposities van lokale kunstenaars. Dat genereert publiciteit en juist dat moeten we hebben.'
Jacco zucht.
'Kijk eens naar recensies op internet,' gaat Marius door. 'We kunnen het blijkbaar niet iedereen naar de zin maken, maar vrijwel alle beoordelingen vallen heel positief uit. Over de ontvangst en de bediening worden lovende woorden gesproken.'
Hij neemt Jacco op, die zoals elke dag onberispelijk is gekleed. Vera had hem laatst verteld dat Jacco vond dat het personeel hem niet mocht tutoyeren. Hij had daar niets van willen zeggen. Aan zijn manier van leidinggeven mocht de nieuwe general manager zelf invulling geven, maar hij liet niemand ontslaan zolang het water hem nog niet tot de lippen was gestegen.
'Binnenkort begin ik met functioneringsgesprekken,' kondigt Jacco aan. 'Er is hier een aantal mensen dat er de kantjes van afloopt. Daar wil ik in ieder geval een einde aan maken.'
'Als jij denkt dat je daar goed aan doet, moet je daarmee beginnen.'
Marius wil dat dit voorbij is, maar Jacco wijst op de papieren die tussen hen in op Marius' bureau liggen.
'Over die keuken moeten we het binnenkort toch nog eens hebben...'
'Over die keuken hebben we het niet. Dat is mijn domein en uiteindelijk heb ik het hier voor het zeggen.' Hij probeert zich groot te maken. Is hij hier niet de baas?
'Ik zal het dan nog even aanzien,' bindt Jacco in.
'Ik wil er niet langer over discussiëren, en als je me nu wilt verontschuldigen... Er ligt nogal wat werk op me te wachten.'
Jacco klapt de deur net iets te hard achter zich dicht.
Marius zucht. Hij is de eigenaar van dit complex. Hij voelt zich het jongetje op de kunstschaatsen.

Jetty Drinkwater heeft haar knipselboek uit de kast genomen. Het ligt nu voor haar op tafel. Langzaam bladert ze het door, bestudeert

de foto's, leest de artikelen en ziet hoe haar zoon in de loop der jaren ouder en succesvoller is geworden. Haar zoon, haar Marius. De laatste keer heeft hij haar met de Kerstmis opgehaald. Haar zoon heeft het druk met zijn carrière, met zijn gezin. Met een klap slaat ze het boek dicht. Zo was het destijds ook met haar ex-man gegaan. Edward was altijd druk, had nooit aandacht voor haar en voor Marius. Uiteindelijk had dat hem ook nog niets opgeleverd. En op een dag was hij gewoon gegaan. Hij kon niet meer tegen haar zure opmerkingen, tegen haar doorlopende negativiteit, had hij gezegd. Hoe kon een mens ook positief blijven met een man die leefde alsof hij nooit getrouwd was? Een man met altijd weer nieuwe plannen, die hem steeds bij de handen afbraken? Daardoor had zij altijd moeten sappelen, was er nooit geld om eens iets leuks te doen. Doorlopend geldgebrek sloopt een mens. Zij kon er niet tegen. Ze hield ervan om af en toe eens uit te gaan. Het was allemaal voorbij toen ze Edward trouwde. Was het dan gek dat ze daar niet vrolijk van werd? Wie kon het haar kwalijk nemen dat ze haar wantrouwen uitsprak als Edward weer iets nieuws en onuitvoerbaars lanceerde?
Edward Goedhardt had haar dat dus kwalijk genomen. Hij vond dat een goede reden om vrouw en kind gewoon in de steek te laten, niet alleen fysiek, maar ook financieel. Edward reisde de wereld rond alsof hij geen vader was, alsof hij nooit getrouwd was geweest.
'Je bent altijd zo negatief,' had Marius tijdens haar bezoek met Kerstmis gezegd. 'Waarom kijk je niet naar de dingen die je wel hebt?'
Tel je zegeningen. Ja hoor, het is makkelijk om je zegeningen te tellen als je een prachtig gezin en een glanzende carrière hebt. Heeft ze het recht niet om bitter te zijn?
Natuurlijk zorgt Marius goed voor haar in financieel opzicht. Ze heeft nu een leuke flat, ze kan af en toe iets moois voor zichzelf kopen. Tegenwoordig werkt ze nog maar drie ochtenden in de week als huishoudelijke hulp bij oudere mensen. Zo komt ze er nog eens uit en ze hoeft lang niet zo hard te werken als ze altijd heeft gedaan.

Met Vera heeft ze het ook best getroffen. Ze is een aardige schoondochter en Gwenn en Britt zijn schatten. Ze komen alleen zo weinig langs. Marius kan haar wel negativiteit verwijten, maar het is toch niet zo raar dat ze teleurgesteld is omdat ze zo weinig van haar zoon en zijn gezin hoort?
Het heeft haar in het leven nooit erg mee gezeten. Ze had een beroerde jeugd en een al even beroerd huwelijk. Hoe is het toch mogelijk dat haar eigen zoon niet wil begrijpen dat ze niet altijd positief kan zijn?
Binnenkort is de tweeling jarig. Dan zal ze vast weer mogen opdraven. De ouders van Vera zijn er dan meestal ook. Die mensen hebben het goed getroffen. Ze trekken er met z'n tweeën regelmatig op uit nu hun twee kinderen zijn uitgevlogen. Zij zijn met z'n tweeën. Zij is altijd maar alleen.
Daar wordt een mens toch ook niet vrolijk van. En als niemand dat wil begrijpen, dan begrijpen ze het maar niet. Met een zucht staat ze op om het knipselboek terug in de kast te zetten.

De dag glijdt over in de nacht. Marius houdt ervan om op dit stille uur in La Vista te staan en over de stad uit te kijken. Vanaf zijn plek voor een van de grote ramen kan hij de Grote Toren en de Sluisjespoort zien, die door de belichting meteen de aandacht trekken. Op dit uur, terwijl het grootste deel van de gasten slaapt en het personeel naar huis is, voelt hij altijd een zekere verlatenheid die hem in staat stelt afstand te nemen van de hectiek van de dag. Af en toe heeft hij het nodig, die stilte, die rust, het hotel zonder gejaagdheid en stemmen. Hij zou dit moment heel lang willen vasthouden, maar Vera zou ongerust worden. Daarom verlaat hij met tegenzin zijn plek en loopt naar de lift.
Op de gang is niemand te zien. Zijn voeten zakken weg in het dikke, donkerrode tapijt. Nadat hij op het knopje heeft gedrukt, schuiven de deuren open. Hij leunt tegen de zijkant van de liftcabine, die aan één kant uit glas bestaat. Op die manier heeft hij uitzicht op de sla-

perige stad. Zwartburg glijdt aan hem voorbij. De auto's op de parkeerplaats, vanaf het restaurant op speelgoedformaat, krijgen hun originele grootte terug. Bij de receptie wordt hij joviaal gegroet door de nachtportier. Wanneer de glazen deuren zich voor hem openen, ademt hij diep de prikkelende nachtlucht in.
Hij loopt naar zijn auto en ziet de lege plekken op de parkeerplaats. Er zijn te veel lege plekken, steeds weer. Daar hoefde Jacco vanmiddag die kille cijfers niet voor op zijn bureau te deponeren. Dat kon hij zo ook wel zien.
En zoals Jacco over Fieneke klaagde, die toch al een jaar of tien in dienst was. Ze was destijds als pas getrouwde vrouw aangenomen in de bediening. Twee keer had ze zwangerschapsverlof genoten. Hij herinnert zich nog hoe ze trots foto's showde na de geboorte van haar kinderen. Vorig jaar had ze een moeilijke tijd doorgemaakt toen haar man van haar wilde scheiden. Kort daarna wilde ze graag een uitbreiding van haar uren, zodat ze in haar huis zou kunnen blijven wonen met de kinderen. Joris had het hem verteld, maar er kon op dat moment geen sprake van zijn. Ze hadden haar beloofd dat ze als eerste aan haar zouden denken als er een functie met meer uren vrij zou komen.
En nu begint Jacco over haar functioneren. Als hij zich maar niet verbeeldt dat hij Fieneke kan ontslaan.
Wat vervelend toch dat hij nu zulke negatieve gedachten over Jacco heeft. Vera en hij hadden eensgezind zo'n positieve indruk van hem. Zou Joris het tijdens die gesprekken toch beter hebben gezien?
Hoe zou Vera nu over hem denken? Laatst had ze ook gemopperd over zijn ouderwetse ideeën toen Jacco het over tutoyeren had.
Op straat loopt een groepje jongeren voorbij. Hun vrolijkheid schalt door de nacht. Jeugdige overmoed, het idee dat de wereld aan hun voeten ligt, dat stralen ze uit. Een van de jongens heeft een arm om een meisje geslagen. Hij zoent haar. Zij giechelt.
Een dergelijk leven heeft hij nooit gekend. In zijn herinnering is hij alleen maar zorgelijk geweest. Een zorgelijk, stil kind en later een

even teruggetrokken jongeman die veel te vaak van zijn moeder te horen kreeg dat hij op zijn vader leek. Dat bedoelde ze nooit als compliment.
Hij opent het portier van zijn auto en snuift de geur van luxe op. Met zijn hand glijdt hij liefkozend over het met leer beklede stuur als hij op de bestuurdersstoel heeft plaatsgenomen. Hij was iemand geworden. Zijn moeder vertelde hem nooit meer dat hij op zijn vader leek. Ze klaagde alleen dat hij te weinig bij haar kwam, dat ze zijn kinderen te weinig zag, dat hij het te hoog in zijn bol had.
Toen hij deze auto kocht, verlangde hij ineens naar zijn vader. Als een trotse zoon wilde hij die snelle wagen laten zien, een klein eindje samen rijden, vader en zoon. In zijn jeugd schitterde zijn vader door afwezigheid, maar in zijn herinnering waren de spaarzame momenten dat ze samen waren, goede momenten. Zijn vader nam altijd iets voor hem mee als hij op reis was geweest. Op de momenten dat hij er was, nam hij alle tijd en vertelde hem verhalen, een arm om hem heen geslagen. Hij voelde zijn liefde.
Of verbeeldde hij zich dat alleen? Was het een vertekend beeld van een kleine jongen die zijn vader gemist had?
Hij draait het sleuteltje om in het contact, de motor slaat grommend aan. Misschien is hij altijd die kleine jongen gebleven.

Vanuit de garage kan Marius zo zijn huis binnenlopen. Vera is nog niet naar bed. Hij heeft van buiten af het licht in de woonkamer zien branden, maar ze lijkt geen televisie te kijken. Er is geen enkel geluid te horen. Zachtjes opent hij de deur, en hij ziet hoe ze aan de tafel bij het raam zit en ingespannen een soort van fotoboek bestudeert. 'Wat ben jij aan het doen?' Hij verrast haar.
Betrapt kijkt ze op, slaat het boek dicht en schuift het onder de stapel albums die voor haar op tafel ligt. 'Ik haal herinneringen op,' zegt ze. 'Zo leuk om te zien hoe klein Gwenn en Britt bij hun geboorte waren. Het is toch bijna onvoorstelbaar dat er nu zulke meiden uit zijn gegroeid? Dan ontdek je hoe snel de tijd verstrijkt.'

'Het confronteert je vooral met het feit dat we snel ouder worden,' meent hij. Verstolen gaapt hij achter zijn hand. De schrik van Vera is hem ontgaan.
Opgelucht staat ze op. 'Zal ik je dan maar een glaasje port inschenken?' Ze strijkt liefkozend over zijn haren, kust hem op zijn kruin. Hij is moe. Ze kan het aan zijn ogen zien. 'Je zou wat minder hard moeten werken,' zegt ze. 'Misschien moet je meer aan anderen overlaten. Tegenwoordig heb je een general manager die van aanpakken weet.'
'Daar hadden we bij Joris ook niet over te klagen,' zegt hij. 'Alleen bracht die het wel wat diplomatieker.'
'Jacco moet zijn draai nog vinden binnen ons bedrijf,' denkt ze. 'We moeten hem de tijd gunnen. Hij is er nog maar net.'
'Hij lijkt de strenge hiërarchie binnen ons bedrijf in ere te willen herstellen.'
'Misschien is dat goed. We zijn het niet gewend. Onder Joris waaide er een andere wind, maar misschien vraagt deze tijd meer om een aanpak als die van Jacco.'
'Daar kan ik je niet in volgen,' bromt hij, terwijl hij zich met een zucht op de klassieke sofa laat zakken, het enige antieke stuk in hun verder strak vormgegeven kamer. Hij volgt Vera met zijn ogen als ze bij de fraaie wengé bar een glas port inschenkt. Ze draagt een makkelijke harembroek met daarop een zacht wit vestje dat nauw aansluit. Haar gladde, bruine haren glanzen in het licht van de matglazen lamp boven de bar. Hij ziet de aandacht waarmee ze de donkerrode port in zijn glas schenkt.
'Maar ik meen het wel,' zegt ze als ze met twee glazen terugkomt. Haar ogen haken zich vast in de zijne. 'Vanavond zat ik hier in de kamer. De kinderen lagen net in bed en ik realiseerde me dat ik hier al heel wat avonden alleen heb doorgebracht.'
Ze reikt hem zijn glas aan, kruipt naast hem op de sofa. 'Begrijp me niet verkeerd. Ik leid een prachtig leven en ik geniet van onze kinderen en van het succes dat we hebben, maar soms verlang ik naar

een normaal leven.'
'Een normaal leven,' herhaalt hij.
Aan zijn blik ziet ze dat hij er niets van begrijpt. Toch gaat ze door, tegen beter weten in. 'Gewoon samen op de bank een boek lezen of televisiekijken. Samen de kinderen naar bed brengen, dat soort dingen.'
'Samen...' Hij laat de port door zijn glas rollen. 'We doen toch al heel veel samen? Het hotel, het restaurant, het is allemaal van ons samen. We werken er een paar dagen in de week samen, we overleggen samen.'
'Nu heb je het dus alleen over werk.'
Hij gaapt. 'Misschien moeten we daar een andere keer nog eens over praten. Op dit moment wil ik me gewoon even ontspannen en dan lekker naar bed. We hadden een droom, Vera. Die droom zijn we aan het waarmaken. Het waait ons niet zomaar aan. We moeten er hard voor werken.'
Ze zou hem willen zeggen dat het vooral zijn droom was, dat hij zijn droom probeert waar te maken, dat ze tegenwoordig te vaak aan hun kleine restaurant en hotel moet denken, dat Marius zo makkelijk van de hand had gedaan. Ze zou hem willen vertellen hoe ze mijmert over de gemoedelijke sfeer in die tijd en hoe ze daarnaar kan terugverlangen. Al die woorden slikt ze in. 'Laten we zo naar bed gaan,' stelt ze voor. 'Morgen is het weer vroeg dag.'

Veel later ligt ze in het donker te staren. Naast haar klinkt de rustige ademhaling van Marius. Vlak voor het naar bed gaan heeft ze de fotoalbums terug op hun plaats gezet en het kleine en oudste album zorgvuldig erachter gelegd, uit het zicht. Alleen zij weet ervan. Vanavond had ze het van de zolder gehaald en het voor het eerst sinds jaren weer bekeken. Een boek vol herinneringen. Zij met haar broer, met haar ouders. Zij aan de kolk, zij in de kolk en een eindje verderop ineens hij aan de kolk en in de kolk. Hij en zij, lachend en verliefd.

Chris in zijn zwembroek, zijn litteken duidelijk zichtbaar. Waarom vroeg ze hem niets? De foto's brachten herinneringen boven met bijbehorende geuren en kleuren, met de warmte van de zon die in die tijd zo vaak had geschenen. Destijds was die warmte voor haar synoniem met gelukkige dagen, al waren de maanden daarna ook vol liefde en geluk geweest. Er was zelfs nog een foto waarop ze samen naast de kerstboom in haar ouderlijk huis zitten. Het was ongeveer een week voor Kerstmis en aan niets is te zien dat het tussen hen daarna zo snel voorbij zou zijn.
Na hun ruzie had ze het album niet meer willen zien. Er was een moment geweest waarop ze alle foto's waarop hij stond, had willen verscheuren. Ze weet niet meer waarom ze dat uiteindelijk toch niet heeft gedaan. Vanavond had ze ineens behoefte gevoeld om herinneringen op te halen, om de oude beelden van Chris en haar samen te bekijken. Na al die jaren had ze nog precies geweten waar het album lag.
Ze had de beelden ingedronken, het gezicht van Chris intensief bestudeerd. Hij keek daar net zo gelukkig als zij, steevast zijn arm om haar heen geslagen alsof hij haar niet los wilde laten. Hoe was het toch mogelijk dat hij na hun ruzie nooit meer iets van zich had laten horen? En ging dat krantenbericht destijds misschien toch over hem? Maar waarom was hij teruggekomen? Welke rol wilde hij nu in haar leven spelen? Ze twijfelde niet langer of Chris dezelfde was als Jacco. Het litteken had haar laatste restje onzekerheid daarover als sneeuw voor de zon doen verdwijnen. Waarom ze hem daar niet mee confronteerde, kon ze niet zeggen. Was het angst? Of onzekerheid?
Waarom houdt hij zich onwetend? Waarom heeft hij geen moment laten merken dat hij haar kent? Of is het toeval? Twijfelt hij misschien net zo als zij zelf deed? Hij zou haar toch ook moeten herkennen? Haar achternaam is weliswaar van Van Duijvenbode in Goedhardt veranderd en ze is twintig jaar ouder geworden, maar ze is ervan overtuigd dat hij haar zou moeten herkennen. Zo zijn er ineens zo veel vragen ontstaan over een periode die ze dacht ver ach-

ter zich te hebben gelaten.
Ze wil er niet meer aan denken, maar met de komst van Jacco heeft het verleden haar ingehaald.
Naast haar draait Marius zich om. Hij mompelt iets. Ze kijkt naar hem, naar zijn vertrouwde gezicht. Wat houdt ze van hem en van alles wat bij hem hoort. Liefkozend raakt ze zijn blote arm aan. Hij reageert niet. Ze zou willen dat ze de film van de gebeurtenissen van de laatste tijd terug kon draaien. Dit keer zou ze het sollicitatiegesprek heel anders hebben aangepakt.
Er valt niets terug te draaien.

4

Zaterdagavond is de drukste avond van de week. Vera vindt het doorgaans ook de gezelligste avond. Mensen vieren weekend en lijken nog opgewekter dan normaal. Ze vindt het prettig om juist dan te werken. Haar ouders zijn bij de kinderen thuis. Dat vinden zowel haar ouders als Gwenn en Britt leuk, dus daar hoeft ze zich geen zorgen over te maken. Alles klopt vanavond. Had begin maart zich nog echt van zijn winterse kant laten zien, nu de maand halverwege is, lijkt de lente doorgebroken. Het is alsof de zonnige voorjaarsdag ook nu nog een beetje doorsuddert, het licht dat langer het restaurant binnen blijft schijnen, de kleding van de gasten die al voorjaar begint uit te stralen.

In de keuken is Marius geconcentreerd aan het werk. Af en toe hoort ze zijn stem die aanwijzingen geeft. Als het niet gaat zoals hij zich dat voorstelt, registreert ze zijn ongeduld. Uit alles blijkt zijn liefde voor het vak.

Zo ziet ze hem graag. Af en toe loopt hij langs de verschillende tafels in het restaurant. Hij informeert of alles naar wens is, geeft informatie, maakt grapjes. Vanavond kan hij louter complimenten in ontvangst nemen. Iedereen is tevreden. Marius is blij. Ze krijgt een knipoog als hun blikken elkaar kort vangen. Fieneke is ook vrolijk. Er schijnt een nieuwe man in haar leven te zijn, heeft Vera zich laten vertellen. Als het even wat rustiger is, ziet ze Fieneke verdwijnen, om even later met een gelukkige glimlach terug te keren. Daarna lijkt haar lach nog breder, het is alsof ze nog harder werkt.

De avond nadert zijn einde als Vera Jacco ziet binnenkomen. Waarom brengt zijn komst haar nu toch weer in verwarring?

Hij knikt haar afstandelijk toe, overziet het restaurant, maakt een praatje met Fieneke, Wilbert en Laura van de bediening en Jolanda, die vanavond achter de bar staat. Daarna loopt hij door het restaurant, net zoals Marius al eerder gedaan heeft. Ook hij maakt hier en daar een praatje en informeert of alles naar wens is. Ze ziet hem

opgewekt naar haar toe komen. 'Het is een mooie avond,' meldt hij tevreden. 'Zo zou elke avond moeten zijn.'
'Daar kunnen we voorlopig alleen maar van dromen,' reageert ze.
'Dromen worden werkelijkheid als je eraan werkt. We moeten doelen stellen en die halen. Vanavond zie ik alleen maar tevreden gasten. Niet alleen hier, maar ook in ons Grand Café beneden. Daar moeten we voor gaan.'
'We hebben nooit anders gedaan.'
'Dan blijven we dat maar gewoon doen.' Hij glimlacht. 'Als je me nu wilt excuseren. Ik denk dat ik wel naar huis kan gaan. Het is een lange dag geweest.'
Ze kijkt hem na. Waarom zwijgt hij nog steeds? Omdat hij iets te verbergen heeft? Of is hij gewoon bang dat ze Marius op de hoogte zal stellen van zijn verleden? Maar waarom heeft hij juist bij hen gesolliciteerd? Er zijn genoeg prachtige bedrijven waar hij terecht zou kunnen. Jacco is omgeven door raadsels die haar veel te veel bezig blijven houden.
De eerste gasten vertrekken. Ze rekent af, informeert of het hen bevallen is. Iedereen verzekert haar nog eens terug te willen komen. In de hoek zit een groep van zes mensen. Het is al even geleden dat ze hun dessert gegeten hebben. Op haar suggestie dat ze nog voor een kopje koffie kon zorgen, gaven ze aan dat ze nog een fles wijn wilden. In de loop van de avond heeft de hoeveelheid alcohol hun luidruchtigheid navenant doen toenemen. Terwijl het restaurant langzaam maar zeker begint leeg te lopen, zit de stemming er daar nog steeds goed in. Er wordt hard gelachen. Een van de dames zet een lied in, maar wordt door de anderen tot de orde geroepen. De overige gasten zitten bijna allemaal aan de koffie. Ze lijken zich niet aan het luidruchtige groepje te storen. Onverwacht geeft een van de heren dan toch te kennen dat hij wil afrekenen. 'Ik betaal voor de hele tafel...' Zijn stem klinkt luid door de zaal.
Vera haast zich om hem de nota te overhandigen.
'Je wilt zeker graag naar bed,' lalt hij. 'Als ik met je mee moet...'

'Harry, gedraag je alsjeblieft,' valt een van de dames uit en aan de blik waarmee ze hem waarschuwt, leidt Vera af dat ze zijn echtgenote is. Harry doet er verder het zwijgen toe, terwijl zijn handen over de zakken van zijn colbert tasten. Zijn hoofd kleurt rood. Een vaag gevoel van onbehagen maakt zich van Vera meester.
'Verhip, m'n portefeuille...' Harry staat op, steekt zijn handen in zijn broekzakken en lijkt ineens nuchter. Hulpzoekend kijkt hij om zich heen alsof hij verwacht dat iemand anders hem uit deze netelige situatie zal kunnen verlossen.
'Harry, doe niet zo flauw,' waarschuwt zijn echtgenote hem opnieuw. 'Dit grapje kennen we nu al en we weten allemaal dat we vanavond niet hoeven af te wassen.'
'Nee, nee, ik maak helemaal geen grapje. Ik ben m'n portefeuille echt kwijt. Misschien heb ik die in een vlaag van verstandsverbijstering in m'n jas laten zitten.' Hij grijnst opgelucht. 'Dat zal het wel zijn.' Met haastige stappen loopt hij naar de garderobe. De drank lijkt hem niet langer parten te spelen. Even later is hij weer terug, mét geopende portefeuille. 'Mijn geld is verdwenen, gestolen...'
'Dat kan niet,' reageert Vera prompt.
'Hoezo, dat kan niet?' Van de vrolijkheid van de man is niets meer over. Met een kleur van boosheid, foetert hij: 'Wilt u beweren dat ik het verzin?'
Ze kent dit soort mensen. Zo proberen ze onder hun rekening uit te komen. Ook zij krijgt een kleur. 'Uiteraard niet,' probeert ze rustig te zeggen. De vijf tafelgenoten bemoeien zich er nu ook mee. Ze proberen elkaar met luide stem in hun verontwaardiging te overtreffen en Vera voelt zich opgelaten. Hun kabaal heeft inmiddels de nieuwsgierigheid van de andere gasten gewekt.
'U wilt toch niet zeggen dat u Harry ervan verdenkt dat hij niet wil betalen?' wil een vrouw op hoge toon weten. 'U moet zich schamen. Er wordt gestolen in uw restaurant en in plaats van u te verontschuldigen, beschuldigt u het slachtoffer.'
'Daar is geen sprake van,' verweert ze zich. Nu moet ze rustig blijven.

Ze moet dit keurig oplossen. Dat is normaal gesproken een van haar sterke kanten, maar vanavond weet ze niet goed wat ze ermee aan moet. Van alle kanten wordt er verontwaardigd tegen haar aan gepraat. Koortsachtig zoekt ze naar oplossingen. 'Het is misschien niet verstandig om uw portefeuille in uw jaszak te laten zitten,' merkt ze op, en direct weet ze dat ook dat geen verstandige opmerking was. Waarom doet Marius niets? Hij ziet toch ook dat het hier uit de hand loopt?

'Ik ging ervan uit dat diefstal in dit restaurant niet voorkwam,' reageert de man ijzig. 'Ik zie nu dat ik me vergist heb. Overigens ben ik gewoon vergeten om mijn portefeuille uit mijn jaszak te halen.'

'Wat is hier aan de hand?'

Ze dacht dat Chris naar huis was. Hoe komt hij hier ineens verzeild? Chris... Jacco... De namen komen steeds weer samen in haar op.

Het opgewonden groepje spuwt nu zijn gal tegenover Jacco. Hij neemt het rustig op, wil weten hoeveel geld er gemist wordt, zoekt naar oplossingen. Hij doet alles wat zij zou moeten doen. Ze voelt het aan de manier waarop hij naar haar kijkt. Ze ziet het in de blikken van de zes mensen die haar af en toe minachtend opnemen. Waarom heeft ze nu ineens gefaald?

Uiteindelijk neemt een van de tafelgenoten het afrekenen op zich. De gasten blazen de aftocht met de verzekering van Jacco dat het tot de bodem uitgezocht zal worden en een toezegging voor een gratis lunch.

'Zo,' hoort ze Jacco zeggen. 'Hier mag toch geen mens ontevreden weggaan?'

Ze hoort de spot in zijn stem. 'Het spijt me...'

'Dat hoeft niet.' Hij stopt haar met een handgebaar. 'Dit was een lastige situatie. De vraag is wie het op z'n geweten heeft. Heb je mensen weg zien gaan?'

'Natuurlijk...' Ze haalt haar schouders op. 'Er zijn gasten vertrokken. Ze hebben hun jas opgehaald in de garderobe.'

'En van de bediening?'

'De bediening?' Ze kijkt hem niet-begrijpend aan. 'Je bedoelt... Ach, welnee. Ze hebben hier allemaal keihard gewerkt, en bovendien, voor al die mensen durf ik mijn hand in het vuur te steken.' Ineens zwijgt ze. In een flits ziet ze Fieneke weer voor zich. Ze was even weg, en kwam met een glimlach om haar mond weer binnen. Zij had dat aan een telefoontje met haar nieuwe liefde toegeschreven. Had ze dat fout ingeschat?
'Nou?' vraagt Jacco. Hij trekt zijn wenkbrauwen op.
'De bediening is hier de hele avond geweest,' liegt ze.
'Weet je dat zeker?'
Ze treft zijn peilende blik. 'Ja, ik weet het zeker.'
'Niemand heeft er iets aan als jij hier iemand de hand boven het hoofd houdt.'
'Dat weet ik, Chris,' zegt ze ineens zachtjes. Niemand die haar hoort, alleen Jacco of Chris...
Ze ziet hoe hij haar peinzend aankijkt. 'Chris bestaat niet meer,' zegt hij dan. 'Dus noem me alsjeblieft Jacco.'
Ze wist het, en toch treft het haar. Ineens weet ze niet meer wat ze moet zeggen. Er willen opnieuw gasten vertrekken.
'Misschien wordt het eens tijd dat we samen praten,' zegt hij.
Ze heeft geen tijd meer om te antwoorden.

Twee weken later stapt Vera met kloppend hart een wegrestaurant binnen. Ze heeft de tweeling bij haar ouders onder weten te brengen. Marius is naar een culinair festival en zij heeft aangegeven even een dagje voor zichzelf te willen. Wat onwennig loopt ze door de grote ruimte, maar ze ontdekt Jacco nergens en daarom besluit ze een plaatsje achterin te zoeken. Het geeft haar een raar gevoel om hier in haar eentje te wachten op een man die niet de hare is. Had ze het toch niet beter aan Marius kunnen vertellen? Wellicht zou ze zich dan minder ongemakkelijk voelen.
Jacco had uitdrukkelijk om discretie gevraagd. 'Ik hoop het je later uit te kunnen leggen. Dan kun je altijd nog besluiten om het Marius

op te biechten.' Ze had dat een heel acceptabel verzoek gevonden. Nu kijkt ze er anders tegenaan.

Zenuwachtig spelen haar vingers met het zoutvaatje op tafel. Als de ober komt informeren wat ze wenst, verzoekt ze hem nog even geduld te hebben. Elke seconde neemt haar spanning meer toe, terwijl ze nauwlettend de deur in de gaten houdt. Vanmorgen had ze lang bij haar garderobekast geaarzeld. Wat moest ze vandaag dragen? Het moest niet te chic zijn, maar ook zeker niet te gewoontjes. Later had ze veel meer werk van haar make-up gemaakt dan ze normaal deed. Hoe komt het nu dat ze ineens hoopt dat het hem niet zal opvallen?

Het lijkt wel alsof het meisje van twintig jaar geleden weer terug is. Dat gevoel raakt ze nu nog steeds niet kwijt. Ze krijgt de neiging om de ober toch maar te vragen een kopje koffie te brengen. Het aantal malen dat ze op haar horloge heeft gekeken, valt niet meer te tellen. Ze overweegt zelfs al om weg te gaan als ze hem ineens aan ziet komen. Nu draagt hij een soepel leren jack met daaronder een strakke jeans. Met zijn jongensachtige uitstraling lijkt hij nog lang geen veertig. Jaren vallen weg. Vera ziet hem zoekend rondkijken, maar als ze haar hand opsteekt, breekt er een lach op zijn gezicht door. Net als vroeger.

Met grote stappen beent hij naar haar tafeltje. Zijn grijze ogen hechten zich in de hare, hij houdt haar handen vast.

'Chris...' zegt ze verward.

'Blijf alsjeblieft Jacco zeggen.' Hij laat haar handen los. 'Chris bestaat echt niet meer.'

De ober snelt toe om de bestelling op te nemen. Ze willen allebei niet meer dan een kop koffie. Geluidloos verwijdert de man zich, hun blikken blijven hem volgen terwijl hij naar de bar loopt. Hij is nog jong en smal, zijn bewegingen zijn wat onzeker als hij even later met de koffie terugkomt. Onder zijn neus tracht een armetierige snor zijn mannelijkheid te onderstrepen. Vera zoekt naar woorden, onzeker omdat de Chris van vroeger tegenover haar zit, die tegelij-

kertijd de general manager van Hotel Emma is, de Jacco Dupeur die haar op afstand houdt en zelfs terechtwijst.
'Je bent nog niets veranderd,' hoort ze Jacco zeggen. 'Ik was bang dat je een ander zou zijn geworden, dat het succes zich meester van je zou hebben gemaakt. Nu ik eindelijk echt tegenover je zit, zie ik dat onzekere meisje terug.' Hij heeft zijn leren jas over z'n stoel gehangen, buigt zich naar haar toe, dwingt met zijn twinkelende ogen haar blik naar de zijne.
Ze tracht zijn ogen te ontwijken. 'Ik heb me altijd afgevraagd waarom je me zo in de steek hebt gelaten.' Als vanzelf trekt haar blik weer naar de zijne. Een moment moet ze zoeken naar woorden, maar dan rijgen ze zich vanzelf aaneen. 'Misschien is dat wat me al die jaren zo dwars is blijven zitten. Ik begreep het niet. We hadden het samen zo fijn. Op die laatste avond leek er een ander in je te zijn gekropen. Ik meende je heel goed te kennen, maar in mijn naïviteit had ik niet in de gaten dat jij jezelf vrijwel nooit blootgaf. Ik kende je familie niet, noch je vrienden. Je had altijd acceptabele smoezen als ik naar je ouders vroeg en voor je vrienden gold dat net zo. En ik was nog zo jong, en voor m'n leeftijd zelfs kinderlijk en onschuldig.' Haar emoties laaien op. 'Die laatste avond voelde ik me zo vernederd en misbruikt. Ik begreep er niets van. Zo was je nooit. Ik vond het afschuwelijk dat het op die manier moest eindigen. En daarna die roddels...' Ze bijt op haar lip.
'Ik was ook nog jong en ik voelde me afgewezen,' brengt hij ertegen in.
'Afgewezen? Vond je werkelijk dat je er recht op had om met me naar bed te gaan, en dan nog wel in die koude rotschuur?' Ze schrikt van haar eigen emoties.
'Je moet geloven dat ik het niet zo bedoeld heb.' Jacco verdedigt zichzelf niet meer. Hij kijkt langs haar heen. 'Misschien had ik niet eens in de gaten wat ik jou aandeed. Ik was ook nog jong in die tijd en veel te veel met mezelf bezig.' Met zijn hand strijkt hij door zijn weerbarstige donkerblonde krullen. Ze ontdekt een paar grijze

haren. De tijd heeft hem ingehaald.
'Je moet weten dat ik enig kind ben en dan ook nog een zoon. Er werd heel veel van mij verwacht. Mijn vader runde een groot vakantiepark. Voor hem was het ondenkbaar dat ik dat park niet zou overnemen, ik was zijn gedoodverfde opvolger. Voor de rest gaf hij niets om me. Keer op keer wees hij me af.'
Ze luistert naar de woorden waarmee hij zich tracht vrij te pleiten. Hij vertelt over zijn jeugd, over de gasten die hem treiterden, over zijn dominante vader. Hij zwijgt over zijn harde handen en denigrerende woorden. Als hij eraan denkt, voelt hij weer de schaamte, de vernedering en de machteloze woede.
Vera wacht op spijt.
'En toen wees jij me af,' hoort ze hem zeggen. 'Zo voelde het voor mij in ieder geval. Dat maakte me woedend.'
'Niet helemaal terecht, lijkt me.'
'Nee, dat weet ik nu ook, maar op dat moment was alles anders. Ik heb de nacht daarna heel slecht geslapen en moest toch gewoon aan het werk. In mijn woede heb ik toen misbruik gemaakt van de situatie. Er zat veel geld in de kluis die ik moest afsluiten omdat ik als laatste naar huis ging.'
'Die roddels waren dus waar,' concludeert ze.
Hij zwijgt.
Ze staat op, verontschuldigt zich. 'Ik moet even naar het toilet.'
'Ik bestel onderwijl nog een kop koffie. Wil je er een broodje bij?'
Ze schudt haar hoofd. Op dit moment zou ze werkelijk niets door haar keel kunnen krijgen.

De spiegel in de toiletten toont even later haar bleke gezicht. Onder koud, stromend water koelt ze haar polsen en probeert haar emoties de baas worden. Jacco liegt. Ze lijkt niet meer op het onzekere meisje dat ze was. Na die ruzie was dat meisje verdwenen.
Zijn verhaal maakt niets duidelijk. Hij had die avond overtrokken gereageerd. Als hij werkelijk van haar had gehouden, zou hij er later

op teruggekomen zijn. Ze hadden erover kunnen praten. Hij was destijds nog jong, maar hij was geen kind meer. In plaats van te praten, was hij vertrokken en had ook nog die garagehouder in de problemen gebracht. Daarbij was hij nooit open tegen haar geweest. Zijn handelswijze was van het begin af aan doortrapt en egoïstisch.
Haar ogen zijn donker van de woede die ze voelt, met haar handen volgt ze een lijn bij haar neus. Twintig jaar geleden. In die twintig jaar is ze de vrouw van Marius geworden, moeder van twee prachtige dochters. Ze is een vrouw die haar leven op orde heeft. Waarom is Jacco teruggekomen? Wat wil hij nu? Ze begrijpt er nog steeds niets van. Waarom heeft hij het op deze manier aangepakt? Hij had haar een mail kunnen sturen of kunnen bellen. Waarom koos hij ervoor om via slinkse wegen onder een andere naam in haar leven terug te keren? Er zijn zo veel vragen.
Ze vermant zich. Er is er maar één die antwoord kan geven op al die vragen. Ze recht haar schouders, kijkt zichzelf diep in de ogen. Jacco heeft het helemaal mis, er is niets meer van dat meisje over en dat zal ze hem laten weten.

Jacco werkt een Italiaanse bol naar binnen. Ze kijkt hoe hij er steeds keurig kleine stukjes van afsnijdt, precies recht en ongeveer even groot.
'Is Jacco Dupeur je echte naam?' vuurt ze haar volgende vraag op hem af. 'Heb je me zelfs met je naam om de tuin geleid?'
Hij kauwt bedachtzaam, neemt een slok koffie. 'In feite ben ik niet van naam veranderd,' zegt hij dan. 'Dupeur is de naam van mijn vader. Zo heette ik officieel dus altijd al, maar ik heb niet zo'n goede band met mijn vader, zoals je inmiddels zult hebben begrepen. In die tijd had ik zelfs zo'n hekel aan die man dat ik z'n naam niet wilde dragen. Misschien een wat kinderlijke manier om me tegen hem af te zetten. Van Rijn was de meisjesnaam van mijn moeder, die ik in die tijd van haar leende. Ik was van plan om het je later te vertellen, maar daar is het helaas niet meer van gekomen.'

'En waarom Jacco?'
'Mijn ouders konden het niet eens worden over mijn naam. Het wonderlijke was dat mijn moeder nooit tegen mijn vaders mening in durfde te gaan, maar ditmaal hield ze schijnbaar voet bij stuk. Zij wilde dat ik Jacco zou heten. Was het niet als mijn eerste naam, dan wel als mijn tweede. Daarom heet ik officieel Christiaan Jacco, maar iedereen noemde mij Chris.'
'De afkeer van je moeder is dus niet zo groot als van je vader,' concludeert ze. Ze merkt zijn scherpe, observerende blik op.
'Nee,' zegt hij bedachtzaam. 'Mijn moeder is een lieve vrouw. Ze probeerde voor me op te komen, maar ze kon niet tegen mijn vader op. Ik lijk op haar. Ook mijn moeder had een hekel aan die opgeblazen campinggasten. Ze kon heel goed mensen imiteren. Ik lachte me slap als ze voordeed hoe ze zogenaamd met een enorme caravan het terrein op kwam rijden, het gras aan gort reed en meende dat ze alle recht van de wereld had. In werkelijkheid was dat soort mensen helemaal niet leuk. Het beroerde is dat je ze overal tegenkomt, ook in de garage waar ik aan het werk ging. Mensen met een dikke, poenerige portefeuille, die denken dat alles in de wereld te koop is.'
Vera ziet de glanzende, knalrode sportwagen van Marius voor zich. Hij was zo trots toen hij de auto kocht. Het stoort haar dat Jacco hem schaart onder de mannen met een dikke, poenerige portefeuille.
'Ik heb een afkeer van mensen met geld, maar zonder beschaving,' gaat hij verder. 'Die kom je in het hotel en restaurant ook tegen. Het zijn mensen die menen dat ze alleen maar rechten hebben.'
'En wat doe je nu in ons hotel?' Ze vuurt haar laatste vraag op hem af. Weer is er heel even die onderzoekende blik, maar hij herstelt zich meteen.
'Ik doe dat waarvoor ik ben aangenomen en daar wil ik een succes van maken.'
'Met jouw afkeer van de rijkere medemens?'
'Over het algemeen heb ik geen moeite met welgestelde mensen. Ik heb een hekel aan onbeschaafde mensen met geld. Die zag ik vroe-

ger op de camping, die vind ik in ons hotel en restaurant af en toe. Maar de meeste mensen zijn vriendelijk en voorkomend. Die mensen verdienen een goed verblijf, die wil ik het graag naar de zin maken. Ik zou willen dat Marius dat inzag. Tot mijn komst zijn het hotel en het restaurant geleid als een dorpshotelletje.'

'Dat is iets tussen Marius en jou,' reageert ze stellig. 'Ik ben niet van plan me daarmee te bemoeien.'

'Misschien zou je dat wel moeten doen.' Hij heeft zijn broodje op, veegt een kruimel bij zijn mond weg en roert omstandig door zijn halfvolle kopje koffie.

'Hoe bedoel je dat?'

'Jij bent veel te weinig bij het hotel betrokken. Het is helemaal het ding van Marius. Dat kan niet bij zo'n enorm project. Jullie moeten er samen helemaal voor gaan. Jij had hier vandaag niet moeten zitten. Jullie hadden met z'n tweeën bij dat evenement moeten zijn.'

'De kinderen zijn er ook nog. Ik heb er destijds voor gekozen om er voor hen te zijn. Die paar dagen in de week lukt prima, maar ik ben niet van plan om er veel meer tijd in te steken. Bovendien heb ik het niet zo op die culinaire evenementen.'

'Het is uiteraard jullie zaak, maar ik zie als buitenstaander dat het niet goed is. Jij staat dagelijks een beetje 'de vrouw van' uit te hangen, terwijl je veel capaciteiten hebt die onbenut blijven. Dat vind ik zo jammer.'

'Daar zal voorlopig dus geen sprake van zijn,' kapt ze hem af. 'Het is een afspraak tussen Marius en mij. Jij kunt daar wel anders over denken, maar ik ben niet met jou getrouwd.' Ze kijkt op haar horloge. 'Ik vrees dat ik er nu vandoor moet.' Vera pakt haar tas.

'Je bent gepikeerd,' concludeert Jacco.

Ze antwoordt niet.

'En vertel je nu Marius vanavond meteen wie ik ben en wat ik in het verleden voor vreselijke dingen heb uitgevoerd?'

Ze haalt haar schouders op en gaat staan.

'Misschien moet je me nog even het voordeel van de twijfel gunnen.

Bovendien is het goed om je af te vragen wat Marius ervan zal vinden dat wij hier in het geheim hebben afgesproken. Ik vermoed dat hij dat nog niet eens het ergste zal vinden, maar dat hij er veel meer moeite mee zal hebben dat je hebt gezwegen tijdens de sollicitatieprocedure. Ik zag dat je me direct herkende en toch heb je ervoor gekozen om dat niet tegen Marius te zeggen. Zelf stond ik daar ook van te kijken, moet ik je bekennen.'
'Dat zal hij vast niet vreemd vinden,' zegt ze ijzig. Ze trekt haar korte jasje aan, dat ze even daarvoor over de stoel heeft gehangen. 'Maar je hoeft niet bang te zijn. Ik zal voorlopig niets zeggen. Even voor de duidelijkheid: in onze verhouding verandert niets. Jij bent werknemer in ons hotel.'
'En jij bent de vrouw van de baas.' Er krult een spottend lachje rond zijn mondhoeken.
'Uiteindelijk is het onze onderneming, al laat ik me er, volgens jou, te weinig zien. Ik ben dus net zo goed je baas.'
'Je bent werkelijk gepikeerd,' zegt hij.
'Ik trakteer,' vervolgt ze. 'Je hebt het verdiend. Ik vond dit namelijk een heel verhelderend gesprek. Overigens ga ik ervan uit dat je professioneel genoeg zult zijn om ook nu nog je werk naar behoren uit te oefenen.'
'Aan mijn professionaliteit hoef je geen moment te twijfelen. Ik zet me voor honderd procent in en dat blijf ik doen.'
Ze steekt hem haar hand toe, ziet even zijn aarzeling voordat hij ook de zijne uitsteekt om de hare te drukken. Als ze staat af te rekenen, voelt ze zijn ogen in haar rug, maar ze kijkt niet één keer om. Met rechte schouders loopt ze naar buiten.

5

DE MIDDAG LIGT NOG LANG EN BLANCO VOOR HEM. JACCO ZIT BESLUITeloos in zijn auto, terwijl de woede in hem blijft opvlammen. Woede om Vera's arrogantie, om haar uitspraken. Ze weet niet waarover ze praat. Hotel Emma heeft hem nodig. Zijn verantwoordelijkheid is enorm. Dat weet ze, en toch wil ze hem steeds weer op zijn plaats zetten.

Hoe komt hij de rest van de dag door? Vanmorgen is hij al uitgebreid naar de zaak geweest voor de dagelijkse cijfers. Cijfers over de bezetting, over de inkoop, over al die dingen die er binnen een hotel toe doen. Hij krijgt soms de indruk dat Vera niet weet waar het om draait.

Vera heeft werkelijk geen idee wat hij voor de zaak kan betekenen. Ze heeft zijn curriculum vitae toch wel gelezen tijdens de sollicitatieprocedure? Hij had een uitstekende staat van dienst binnen het bedrijfsleven, was later general manager in een respectabel hotel in Amsterdam en Den Haag, en dat alles met een strafblad waar niemand naar vroeg.

Vera heeft het niet over zijn ervaring. Ze heeft hem zijn plaats gewezen en hem vernederd. 'Jij bent werknemer in ons hotel.' Wie denkt ze wel dat ze is?

Wat weet Vera van ondernemerswinst? Het is ongelooflijk jammer dat Marius zo veel kansen onbenut laat. Waarom betrekt hij haar niet veel meer bij het hotel en de restaurants? Marius steekt z'n kop in het zand. Zij zou hem kunnen helpen met het calculeren van de gerechten. Er bestaan prima computerprogramma's die dat veel makkelijker maken. Enerzijds wil Marius zijn restaurant als trendy en vooruitstrevend neerzetten, anderzijds is hij ergens in het verleden blijven steken. Vera laat het toe. Ze verdiept zich er niet eens in en hem wil ze wijsmaken dat hij niet meer dan een werknemer is.

Op een dag zullen ze ontdekken dat ze hem heel hard nodig hebben. Hij moet opboksen tegen de schaduw van Joris Verkuijl, onder wiens

bezielende leiding de sfeer zo fantastisch moet zijn geweest. Helaas maak je met sfeer geen winst.
Vera... Ze denkt slim en volwassen te zijn, maar in wezen is ze nog net zo naïef als vroeger. Veertje, noemde hij haar in die tijd liefkozend. Met haar blauwe ogen had ze hem nu weer net zo aangekeken als twintig jaar geleden.
Hoe komt het dat ze hem al die jaren zo is blijven intrigeren dat hij haar weer heeft opgezocht? Verlangde hij naar haar aandacht en liefde uit die tijd?
Op zijn twintigste was zij de enige die oprecht van hem hield. Aan alles was dat te merken – aan de manier waarop ze naar hem keek, hoe ze met hem praatte en aan zijn lippen hing als hij iets vertelde. Hij herinnert zich nog hoe ze een dagje samen weggingen en zij broodjes had belegd met rookvlees omdat hij haar had verteld dat hij daar dol op was. Haar hoofd op zijn buik, haar handen die zijn gezicht omvatten. Niemand na haar had ooit zo veel liefde uitgestraald.
Was dat de reden? En is de woede die hij nu voelt eigenlijk teleurstelling, omdat hij die liefde niet meer bij haar vindt? Het moment dat hij de kamer van Marius binnenkwam voor zijn sollicitatiegesprek, is hem bijgebleven. Hij onderschepte haar blik en zag hoe verrast ze was, maar ook hoe verward. In haar zwijgen meende hij haar liefde weer te herkennen en in haar ogen las hij de bewondering van vroeger.
Voor hem was het telefoontje van Joris Verkuijl geen verrassing. Hij wist dat hij de nieuwe general manager van Hotel Emma zou worden. Het was een domper toen hij na zijn indiensttreding die bewondering en verrassing niet meer bij Vera terugvond.
Hij kan er niet tegen als ze hem laatdunkend bejegent. Ze moet weer naar hem opkijken, zoals ze op haar zestiende, vóór zijn reis, ook deed. 'Zijn reis', zo noemt hij de tijd nadat hij met de inhoud van de kluis van Garage Blink verdwenen was. In die tijd heeft hij een schat aan levenservaring opgedaan. Heel veel mensen menen dat hij zich

moet schamen voor wat hij heeft gedaan. Hij heeft meer aan de redenering van zijn oom Leo, bij wie hij een poos woonde nadat hij zijn straf had uitgezeten: 'Doe je voordeel met alle ervaringen in je leven. Samen vormen ze je tot de mens die je bent. Het is geen schande als je fouten maakt, het is wel een schande als je er niet van leert.' Was oom Leo zijn vader maar geweest.
Jacco zucht, start dan de motor en rijdt zijn auto van de parkeerplaats af, maar niet richting Zwartburg.

Nadat hij op die gedenkwaardige dag, zo'n twintig jaar geleden, de garage was uitgelopen zoals hij elke zaterdag deed, was hij nog heel kort teruggekeerd naar zijn kamer. Daar propte hij het geld in een tas die hij verder vulde met wat kleding en toiletartikelen. Achteloos was hij even later op z'n fiets gestapt, de tas gewoon onder de snelbinders. Tot zijn opluchting kwam hij op weg naar het station geen bekenden tegen. Zijn fiets parkeerde hij in het centrum van de stad om vervolgens, ogenschijnlijk rustig, verder naar het station te wandelen. Eerst kocht hij een kaartje naar Amsterdam; in de hoofdstad kocht hij een kaartje naar het zuiden.
Zijn eerste nacht bracht hij door in Antwerpen. Op zondagmorgen liftte hij en wist hij het tot net over de Franse grens te brengen. Op maandag arriveerde hij in Parijs. Daarmee eindigde zijn onrust niet. Hij kon niet in Parijs blijven en na een week reisde hij nog verder naar het zuiden. Hij stopte bij de Middellandse Zee. Twintig jaar geleden was het nog veel eenvoudiger om je ware identiteit verborgen te houden. Om onder de mensen te komen, ging hij een tijdje druiven plukken. Hij hield zich voor dat dit werkelijke vrijheid was. Elke dag vroeg hij zich af wat hij zou gaan doen. Ging hij verder met het werk of zette hij zijn reis voort?
Hij bleef tot het einde van de druivenpluk en reisde toen verder, via Spanje naar de Algarve. Tegen die tijd was hij al drie maanden verder en de winter was ingevallen. Hij huurde een piepklein appartement aan zee, vlakbij Olhão. Dagelijks was hij aan de haven te vin-

den, waar een sirene aangaf dat de vissersboten binnenkwamen. Soms hielp hij bij het uitladen van de vis, mengde zich tussen de Portugese mannen, en verbeeldde zich een van hen te zijn.
Hij had er willen blijven, zeker nadat hij er Olivia ontmoette. Ze was mooi, haar donkere ogen betoverden hem en ze was een stuk minder onschuldig dan Vera.
Hij had gemeend dat zijn geluk nu compleet was, dat hij Vera kon vergeten en dat de cirkel van zijn leven rond was. Hij stelde zich voor dat hij de rest van zijn leven in Portugal zou kunnen blijven. Olivia vertelde hem over haar ouders en haar broer, die in armoede leefden. Ze hield hem voor dat ze dolblij zouden zijn dat hun dochter en zus de liefde van haar leven in een welgestelde Nederlander had gevonden. Misschien lag het aan de taal – hij beheerste het Portugees maar matig – maar hij ontdekte op een dag dat die voorstelling toch niet helemaal klopte. Olivia's broer kwam het hem duidelijk maken en dat deed hij tamelijk hardhandig. Wat hij heel goed uit de vuisten en dat Portugese taaltje van broerlief begreep, was dat hij moest maken dat hij wegkwam omdat Olivia met een ander zou trouwen.
Op die dag ontdekte hij dat zijn vrijheid vooral uit eenzaamheid bestond. Er was niemand die hem te hulp schoot, niemand die hij om raad kon vragen, niemand die hem verstond. Mensen zwegen over zijn gehavende gezicht alsof ze het niet opmerkten.
Op die dag betrapte hij zichzelf erop dat hij de foto van Vera peinzend bekeek, die hij al die maanden achteloos achterin zijn portefeuille had meegedragen, maar niet had weggegooid.
Olivia had hij nooit meer gezien. Hij was de dag erna vertrokken, reisde een eind langs de Atlantische Oceaan en ontdekte naast zijn eenzaamheid ook zijn rusteloosheid. Hij bespeurde plotseling zijn angst en wist dat die de hele reis zijn metgezel was geweest. Hij zou die angst niet kwijtraken, waarheen hij ook reizen zou. In die dagen probeerde hij zijn gevoelens met ongedurig verder trekken het zwijgen op te leggen. Verwonderd ontdekte hij hoe weinig geld waard was en hoe elke keer de angst hem in een wurggreep hield als hij

geld moest wisselen. Hij ontdekte hoe alert hij was, op elk ogenblik van de dag, maar net zo goed in de nacht. Hij reisde nog een tijd, maar wist dat het einde van zijn avontuur in zicht was. Hij werd moe van zijn angst.

Jacco parkeert zijn auto aan de rand van het bos. Hij steunt zijn hoofd in zijn handen en zoekt herkenningspunten. Er staan borden die er eerder niet waren. Hij durft niet verder te rijden, bang dat het geluid van een auto mensen zal alarmeren die hij onder geen beding wil ontmoeten. Stilletjes blijft hij een poosje zitten, maar stapt dan toch uit. De geur van vochtige aarde en het ritselen van de wind door de nog kale bomen zet hem terug in de tijd. Hij speelde tussen de bomen, had zijn eigen klimboom, die hem alleen in de winter helemaal toebehoorde. In de zomer speelden er andere kinderen, in de winter was dit bos zijn rijk, hij was er koning. Een koning zonder onderdanen, zonder vrienden.
Onder zijn voeten knerpen dode bladeren. Hij loopt langzaam, maar zijn gedachten gaan razendsnel. Ze bewegen zich tussen heden en verleden, leggen verbanden en maken emoties los die hij niet meer meende te hebben. Alleen op de wereld. Zo voelde hij zich als hij door dit bos liep, als hij zich verstopte achter een boom zonder dat iemand hem kwam zoeken, als hij zichzelf in de klimboom verhalen vertelde. Hetzelfde gevoel had hem bevangen toen Vera hem vanmorgen ijzig had toegevoegd dat ze zijn bazin was. Nog altijd alleen op de wereld.
Hij blijft stilstaan als hij het woonhuis kan zien. Het is opgeknapt, er is bijgebouwd, het wit van de kozijnen is vervangen door heldergeel. Daardoor lijkt het vriendelijker.
Vroeger sliep hij onder het schuine dak. In het voorjaar nestelden de spreeuwen onder de dakpannen; hij hoorde vanuit zijn bed de jongen piepen. Het kleine raam liet maar spaarzaam daglicht binnen. Nu staat er een dakkapel op, in dezelfde gele kleur als de kozijnen. Heel langzaam loopt hij door, tegelijkertijd aangetrokken en afge-

stoten door de beelden uit het verleden. Een eind voor het toegangshek naar het park staat een groot bord. Hij herinnert zich nog dat het geplaatst werd. Onder het glas gaven door zijn vader gemaakte foto-'s een beeld van het park en de inrichting van de huisjes. Van een afstand ziet hij al dat er nog niet veel veranderd is. Foto's hebben plaatsgemaakt voor een voorlichtingsfolder, waarin ook het interieur van de huisjes ruim aan bod komt.
Bungalowpark De Eekhoorn, staat er in grote, rode letters voorop. *Sport, ontspanning, rust en ruimte.*
Hij leest de beschrijving van het park, van de huisjes, van de camping.
De familie Van Delft heet u van harte welkom.
Hij bestudeert die zin nog eens en nog eens. Nu ontdekt hij ook de foto van een jong gezin. De man houdt een klein meisje bij de hand, de vrouw heeft een baby op de arm. Ze kijken allemaal vrolijk.
Zijn vader wilde nooit een foto van zijn gezin op dit bord. 'Als ze dat smoelwerk van jou zien, komt hier geen mens het terrein meer op,' placht hij altijd te zeggen met die spottende grijns van hem. 'Om het over je moeder nog maar niet te hebben. Die is ook al geen reclame voor de zaak.'
Jacco balt zijn vuisten.
'Ik ben dus net zo goed je baas.' Vera's woorden die hem volgen. Ze had dat niet moeten zeggen.
De deur van het huis kiert open. Hij hoort een vrolijke kinderstem. Met een ruk draait hij zich om en loopt terug naar zijn auto. Het pad is langer dan hij dacht. Voordat hij bij zijn auto is, wordt hij ingehaald door een fietsende vrouw die hij herkent uit de folder die hij even daarvoor heeft gezien. Achterop zit het meisje. 'Hallóóóó!' roept ze. De vrouw groet hem vriendelijk.
Hij doet alsof hij niets hoort.

Thuis drinkt hij koffie en leest onderwijl de krant. Rusteloos staat hij even later op, zoekt naar een mapje met oude foto's en bestudeert ze.

Zijn moeder met hem aan de hand, zijn vader op de zitmaaier. Jacco mocht nooit het gras maaien. Volgens zijn vader was hij veel te onhandig.
Hij kijkt naar de harde trekken in het smalle gezicht en voelt opnieuw boosheid opkomen. Kort nadat hij in de trein van Parijs naar Brussel was opgepakt, zag hij zijn vader weer.
Hij herinnert zich nog zijn vaders intense blik vol schaamte en weerzin. 'Je hebt het aan je moeder te danken dat ik hier nog sta,' had hij gezegd. 'Ik zou het liefst niets meer van je weten of van je horen, maar je moeder wilde dat ik ging kijken hoe het met je gaat.'
'Hoe gaat het met ma?' had hij timide geïnformeerd.
'Hoe denk je dat het met een moeder gaat die zich zo diep voor haar zoon schaamt? Je moet niet denken dat je bedje thuis voor je gespreid is. Ik ben niet van plan je als de verloren zoon te onthalen. Als je je straf erop hebt zitten, kun je bij oom Leo aan het werk. Ik kan je niet verbieden om thuis te komen, maar ik hoop dat je het niet te vaak doet.'
Dat heeft hij ook niet gedaan. Elk bezoek was een zware gang. Zijn vader liet geen gelegenheid onbenut om hem te laten weten wat hij van hem vond. Op een dag had hij besloten zelf het contact te verbreken.
Nu zijn zijn ouders dan vertrokken uit het huis waaraan zo veel herinneringen kleven. Hij weet niet waar ze wonen, hoe het met ze gaat. Het is onmogelijk om zijn vader op de hoogte te stellen van zijn functie als general manager in Hotel Emma. Hij zucht en laat de helft van zijn koffie door de gootsteen lopen. Wat zoekt hij hier nog? Er is werk te doen. Binnen de zaak moet hij onmisbaar worden. Op een dag zal Vera merken dat ze niet zonder hem kan. Dan zegt ze niet langer: 'Jij bent werknemer in ons hotel.'
Hij trekt z'n spijkerbroek en shirt uit, verwisselt dat voor z'n kostuum met krijtstreep.
Het is goed dat hij nu gaat. Marius is er niet en niemand verwacht dat hij nu al komt. Gistermiddag heeft hij taken overgedragen omdat

hij niet wist hoe de dag vandaag zou verlopen. Onverwacht zal hij voor hun neus staan.
Wat zullen ze schrikken.

’s Nachts kan Vera niet slapen. Naast haar draait Marius zich voor de zoveelste keer om. Ze kruipt dicht tegen hem aan. Hij kreunt alsof ze hem pijn doet.
Ze zou hem willen vertellen van het gesprek dat ze vanmorgen met Jacco heeft gevoerd. Ze zou hem gewoon willen zeggen dat ze hem kent van vroeger en hoeveel verdriet hij haar toen heeft gedaan. Waarom heeft ze dat altijd voor zich gehouden? Jacco heeft gelijk: Marius zou zich erg verwonderen als hij zou horen dat ze elkaar van vroeger kennen. De achterdocht zou meteen toeslaan. Het is toch vreemd dat ze nooit met een woord over Jacco heeft gesproken?
Voor haar was dat niet vreemd. Het was een hoofdstuk in haar leven waaraan ze niet graag herinnerd werd. Ze wilde het vergeten en ze dacht dat haar dat gelukt was.
Misschien moet ze er binnenkort toch maar eens over beginnen. Of is dat niet eerlijk? Het doet er toch allemaal niet meer toe? Dat verleden was al lang voorbij. Jacco verdient een kans. Wat er twintig jaar geleden tussen hen is gebeurd, moet niet steeds weer opgerakeld worden omdat zij zich daar persoonlijk heel erg door gegriefd voelde. Het zit haar niet helemaal lekker dat hij destijds daadwerkelijk degene was die er met het geld van Garage Blink vandoor ging, maar daarna lijkt hij zijn leven gebeterd te hebben. Elders heeft hij steeds naar tevredenheid gewerkt. De referenties waren lovend.
Ze zucht.
‘Is er iets?’ hoort ze Marius zeggen.
Ze aarzelt, kruipt nog dichter naar hem toe. ‘Ik hou van je,’ fluistert ze. ‘Dat is wat er is.’
‘Ik ook van jou...’ Zijn stem klinkt slaperig. ‘Echt, ik ook van jou.’

Het is de volgende morgen heel vroeg als Vera zich in het warme water van het zwembad laat zakken. Met lange slagen zwemt ze heen en weer. Lange slagen, korte banen.
De werkster groet haar vriendelijk, maar Vera proeft toch haar ergernis in de klap waarmee ze de deur naar de kleedkamers achter zich sluit. Anna heeft er een hekel aan als ze zo vroeg komt zwemmen. Ze heeft een hekel aan pottenkijkers. Als Vera zwemt, voelt ze zich verplicht om door te werken, terwijl ze het anders op de vroege morgen nog weleens rustig aan doet. Vera duikt onder water. Als ze proestend boven komt, ziet ze de deur naar de kleedkamers opengaan. Jacco komt binnen, gekleed in zwembroek.
'Je vindt het toch niet erg?' Voordat ze heeft kunnen antwoorden, springt hij al in het water. 'Net als vroeger. Jij en ik in het water.' Hij glimlacht spottend, duikt onder water om aan de andere kant weer boven te komen. 'Maar trek je verder niets van me aan en zwem maar lekker door.'
Ze passeren elkaar, maar ze vermijdt zijn blik, voelt zich opgelaten en verlaat veel eerder het bad dan ze van plan was. 'Vera!' Zijn stem klinkt dwingend.
Met tegenzin draait ze zich op het trapje van het zwembad om.
'Ik wil graag nog een keer met je praten.'
'Ik niet,' zegt ze.
'Ons gesprek was te kort. Er is heel veel niet aan de orde geweest,' houdt hij aan. 'Je weet niet wat ik heb gevoeld toen ik jou achter moest laten, hoe erg ik dat vond. Je moet me geloven als ik je vertel dat jouw foto altijd in mijn portefeuille is blijven zitten. Die heb ik tijdens mijn hele reis meegenomen.'
'Hoe roerend.' Ze pakt haar badjas en trekt die over haar badpak aan.
'Zie het zoals je het wilt zien. Drijf er de spot maar mee, maar elke seconde van de dag bleef ik aan je denken. Ik had spijt dat ik je had achtergelaten, voelde wroeging over het verdriet dat ik je had aangedaan. Ik ben je altijd blijven volgen, Vera. Ik wist precies wat je deed en daarom heb ik hier gesolliciteerd. Ik wilde je terugzien, ik wilde

kijken wie je geworden was. Geef me nog een kans. Eén kans...'
'Ik zal kijken wat ik kan doen,' zegt ze, nu toch enigszins onzeker. 'Je hoort van me.'
Als ze de kleedkamer in loopt, weet ze dat ze had moeten weigeren. Anna staat snel op van de bank waarop Vera's kleren liggen. Het dringt niet eens tot Vera door dat ze Anna verrast heeft tijdens het nietsdoen.

Jetty Drinkwater zit aan de zware eiken tafel die voor het raam staat. Van hieraf heeft ze een uitstekend uitzicht op de straat. Ze zit hier graag, veel liever dan in de zithoek die ze vorig jaar nieuw heeft gekregen van Marius en Vera. Voor haar ligt een brief van het pensioenfonds waarbij haar gewezen man ooit aangesloten was. Ze heeft de inhoud al verschillende keren tot zich genomen. Haar ex-partner, de heer E.F.A. Goedhardt, is overleden, en naar aanleiding daarvan heeft ze recht op nabestaandenpensioen. Ze weet dat ze het tijdens hun scheiding zo geregeld hebben. Edward had destijds een aantal jaren bij de provincie gewerkt. Als hij aan zijn pensioen toe zou zijn, kreeg ze daarvan de helft mee. Mocht hij overlijden, dan zou ze nabestaandenpensioen krijgen. Zo wilde hij het en zo was het gegaan. Sinds hij vijfenzestig was, kreeg ze een klein bedrag per maand. Nu zou het een nabestaandenpensioen worden.
Het is niet die boodschap die haar bezighoudt. Het is meer dat Edward er niet meer is. Sinds de scheiding heeft ze hem nooit meer getroffen, en toch raakt het haar. De man met wie ze ooit meende gelukkig te worden, de vader van haar enige kind, is overleden. Marius heeft geen vader meer.
Zou hij bericht hebben gekregen? En als dat zo is, waarom heeft hij het haar dan niet verteld? Ze weet dat hij het haar kwalijk neemt dat ze zich overwegend negatief over Edward uitlaat, maar dat kan toch nooit de reden zijn om zoiets belangrijks voor haar te verzwijgen?
Nogmaals kijkt Jetty naar die regels in de formele brief. Ze herinnert zich nog dat Edward erop stond dat ze de helft van z'n pensioen zou

krijgen. Hij was trots dat hij zijn baan al een paar jaar had weten te houden, trots dat hij haar dat kleine beetje pensioen kon aanbieden.
Wat voelt ze nu eigenlijk? Kan ze na al die jaren nu een punt achter het verleden zetten? Ze had Edward nooit meer gezien sinds hun scheiding. Voor zover ze wist, had hij ook nauwelijks contact met Marius. In ieder geval hielden Marius en Vera de bezoeken van haar en Edward zorgvuldig gescheiden. Als zij er was, werd hij niet uitgenodigd, en andersom. Ze hadden elkaar daar nooit getroffen.
Jetty staat op. Ze gaat voor het raam staan. Haar appartement ligt in het centrum van Zwartburg, op loopafstand van het hotel van haar zoon en schoondochter. Toch zal ze er nooit zomaar eens aanwippen. Ze heeft een paar prachtige kleindochters die ze zo graag eens te logeren zou hebben, maar ze durft het niet eens voor te stellen.
De zon schijnt, de vroege voorjaarszon die langzaam maar zeker aan kracht wint. Ze ziet het aan de mensen die voorbijlopen. Sommigen hebben hun winterjassen losgeknoopt, er fietst zelfs een jongeman in een T-shirt voorbij, zijn handen zwaaiend in de lucht. Als zijn stuur een zwieper dreigt te maken, grijpt hij snel de handvatten vast. Mensen kijken vrolijker nu de zon schijnt. Zelf voelt zij zich ook altijd wat beter als het weer opknapt, maar nooit zal ze zich zo zorgeloos voelen als die mensen met hun losgeknoopte jassen en die jongeman in zijn T-shirt.
Edward is dood.
Die wetenschap overvalt haar ineens en doet alles naar de achtergrond verdwijnen. Hij is al twee weken geleden overleden en ze heeft geen idee hoe hij aan z'n einde is gekomen. Was hij ziek? Of heeft z'n hart het ineens begeven?
Ooit sliepen ze samen, ze droeg zijn kind, ze dacht dat ze altijd samen zouden zijn. Nu weet ze niet hoe hij aan zijn einde is gekomen, of hij alleen was of in gezelschap van een geliefde. Ze weet niet wanneer hij begraven is en of daar mensen bij waren. Ze heeft al zo lang geen deel meer uitgemaakt van zijn leven. Verdriet bespringt

haar onverwacht en laat haar niet meer los. Daar kan zelfs de zon niets aan veranderen.

Op het bureau van Marius ligt een uitdraai. Hij heeft de inhoud bestudeerd. 'Dit zijn de cijfers van gisteren,' zegt Jacco. Hij leunt over het bureau heen. Zijn vinger priemt tussen de getallen. 'En in de tijd dat ik hier nu aan het werk ben, zijn ze nooit veel beter geweest. Dat gold overigens ook voor de cijfers van mijn voorganger. Ik weet niet hoe jij het ziet, maar ik kan maar één conclusie trekken: de personeelskosten zijn te hoog.'
Marius heeft altijd een hekel gehad aan die cijfers. Het is nog erger als ze op deze manier aan hem gepresenteerd worden. De geur van Jacco's aftershave doortrekt hinderlijk zijn kantoor.
'Die kosten moeten dus omlaag.' Jacco pauzeert even. 'Zal ik nog een kop koffie inschenken?' Hij voegt direct de daad bij het woord.
'Of we moeten meer gasten werven,' merkt Marius op. Zijn blik rust op de foto op zijn bureau die Vera hem bijna een jaar geleden heeft gegeven voor vaderdag. Ze staat er samen met zijn dochters op en hij ziet nu duidelijk hoe ze weer gegroeid zijn. Kinderen van die leeftijd veranderen zo snel. Af en toe heeft hij het gevoel dat het leven hem, samen met Gwenn en Britt, tussen de vingers doorglipt. Misschien moet hij Vera vragen om voor de komende vaderdag een nieuwe foto te laten maken.
'Precies.' Jacco schuift weer een volle kop koffie in zijn richting. 'Maar in deze tijd blijkt dat nog niet zo makkelijk te zijn. Je kunt het aan de cijfers van gisteren zien. De bezetting was niet verkeerd, maar de uitgaven van de gasten liggen lager.'
'Gasten komen hier om in de watten gelegd te worden,' begint Marius wat aarzelend.
'Dat is de doelstelling van elk hotel. De gasten moeten tevreden naar huis.'
'Met een lagere personeelsbezetting kan dat problemen geven.'
Jacco glimlacht zelfverzekerd. 'Als het personeel goed wordt aange-

stuurd, ben ik ervan overtuigd dat het geen problemen zal geven. Jij houdt van de sfeer binnen dit bedrijf, maar het is een sfeer die past binnen een dorpshotel.'
'Onzin...' Marius loopt rood aan. 'Mijn hotels hebben altijd goed gelopen. Het personeel voelt zich betrokken.'
'Zo betrokken dat ze het zich kunnen permitteren de kantjes eraf te lopen.'
'Daar geloof ik niets van. Ik zie iedereen hard werken.'
'Als jij in de buurt bent misschien... En dan die vervelende situatie met die diefstal laatst. Ik ben ervan overtuigd dat het iemand van het personeel is geweest.'
'Dat vind ik een zware beschuldiging.' Marius hapt naar adem. In zijn hoofd loopt hij zijn bedienend personeel na. Voor ieder van hen zou hij zijn hand in het vuur durven steken.
'Je hebt gelijk, dat is het ook. Maar ik ben overtuigd van mijn gelijk en ik vrees dat ik jou daar binnenkort ook van kan overtuigen. Iemand die één keer steelt, laat het niet bij die ene keer. De vorige keer heb ik niet adequaat genoeg ingegrepen. Een volgende keer zal me dat niet weer gebeuren. Dan gaat niemand van het personeel naar huis zonder zijn zakken en tas binnenstebuiten gekeerd te hebben.'
'Ik hoop werkelijk dat het niet zo ver zal komen.'
Jacco kijkt op zijn horloge en staat op. 'Ik help het je hopen. In ieder geval ben ik al zo vrij geweest om daarover contact op te nemen met Charles van Diemen.'
'Onze wijkagent.'
'Precies. Het was een gouden tip van Joris dat ik de contacten met Charles goed warm moet houden. Ik heb hem hier nu een paar keer gesproken, en hij doet me goede ideeën aan de hand. In geval van problemen kan ik hem direct bellen.'
'Charles mag hier graag komen,' weet Marius. 'Hij vindt onze koffie erg lekker, zei Joris altijd.' Er speelt een glimlach rond zijn mond. 'Af en toe vond Joris dat hij wel erg vaak aankwam, maar uiteindelijk

betaalde zich dat uit als er problemen waren. Giet Charles dus maar vol koffie. Daar heb ik in ieder geval geen moeite mee.'
'Als je me nu wilt excuseren, ik heb zo een bespreking met het hoofd van de technische dienst. Vanmiddag kom ik nog bij je terug om over de menukaart van La Vista te praten...' De deur klapt achter Jacco dicht.
Marius zucht. Op zijn borst ligt weer de druk die hem het ademen bemoeilijkt. Als hij met Jacco praat, krijgt hij het vervelende gevoel dat de rollen omgedraaid zijn. Jacco weet hem te overheersen. Hij krijgt steeds het gevoel een dorpskruidenier te zijn. Met Joris heeft hij al die jaren een heel andere relatie gehad. Hij gaf hem de vrije hand. Joris had het al die jaren toch niet zo verkeerd gedaan? Zijn vorige bedrijven liepen altijd goed. Hotel Emma moet de tijd krijgen, daar is hij van overtuigd. Er staat normaal gesproken een jaar voor en dat jaar zal hij hier ook nodig hebben. Als Jacco zo graag in de personeelskosten wil snijden, dan kan hij met zijn eigen salaris beginnen.
Een korte klop op de deur meldt hem dat Vera eraan komt. Ze staat al binnen voordat hij iets heeft kunnen zeggen. Hoewel hij altijd aangeeft dat zij niet hoeft te kloppen, irriteert haar plotselinge verschijning hem nu. Hij kan de uitdraai bijna niet zo snel wegstoppen. Omzichtig schuift hij die onder een stapel post.
'Wat zie je bleek, m'n lief,' merkt ze op. 'Er is toch geen narigheid? Ik kwam Jacco tegen. Is hij bij je geweest?'
'Ach, Jacco en ik zijn het niet altijd eens, maar daar heb ik niet veel last van. Ik voelde me daarnet even niet zo lekker, maar nu gaat het wel weer.'
'Hij heeft wat andere ideeën over de aanpak dan zijn voorganger,' zegt ze, terwijl ze hem peilend opneemt. Hij ziet echt bleek.
'Ik vrees dat we moeten ophouden om hem steeds met Joris te vergelijken. Die was inmiddels een deel van het meubilair geworden. Uiteindelijk is zo'n frisse wind misschien wel goed, al heb ik zelf ook wel wat moeite met zijn aanpak.'

Hij zou haar willen vragen of ze soms niet twijfelt. Hij vraagt zich steeds vaker af of het toch niet beter was geweest om de raad van Joris op te volgen. Hij weet zelf niet waarom hij nu zijn mond houdt.
'Je ziet er echt niet uit, lieverd,' zegt ze nog eens. 'Volgens mij gaat het helemaal niet goed met je.' Ze gaat op de hoek van zijn bureau zitten, laat haar benen slingeren en bekijkt haar grijze pumps. Elegant door het kleine hakje, maar toch comfortabel.
'Er is niets aan de hand,' hoort ze hem zeggen. 'Wat wil je dat ik tegen je zeg? Waarom zou er iets met me aan de hand moeten zijn?'
'Als je in de spiegel kijkt, begrijp je het.'
'Vanmiddag zal ik even rustig aan doen,' belooft hij haar. 'Rond vier uur verwacht ik iemand van het programma *Koksmaatjes* van de regionale omroep. Ken jij dat programma?'
'Gaat dat niet om amateurkoks die zich binnen een professionele keuken moeten bewijzen?'
'Ja, en wie zich het beste weet te profileren, is de winnaar. In een van die afleveringen komen ze dan in mijn keuken en verder zit ik in de jury, samen met enkele collega's.'
'Vind je het goed als ik bij dat gesprek kom zitten? Er zitten nogal wat haken en ogen aan, lijkt me.'
Haar vraag verwondert hem, maar desalniettemin knikt hij instemmend.
Ze staat op, snuift opvallend. 'Heb jij een nieuwe aftershave of zo?'
'Het is die van Jacco,' zegt hij onwillig.
'Mmm, lekker. Misschien moet je hem eens vragen welk merk hij gebruikt.' Ze kust hem zachtjes op de wang en merkt niets van zijn frustratie dat Jacco hem zelfs op dat gebied weet te overvleugelen.

6

Een uur later rijdt Vera naar huis. Terwijl ze haar auto door het drukke verkeer manoeuvreert, moet ze ineens aan de woorden van Jacco denken toen hij haar voorhield dat ze veel meer betrokken moest raken bij dit hotel. Misschien is dit het begin. Het stemt haar vrolijk en plotseling is de dreiging die ze op de een of andere manier in zijn nabijheid voelde, verdwenen. Ze heeft hem, na hun gezamenlijke bad 's morgens vroeg, zo veel mogelijk ontweken. Als ze spraken, bleef het zakelijk. Meestal kwamen ze niet verder dan een korte groet. Zo was het ook vanmorgen gegaan toen ze onderweg was naar het kantoor van Marius. Misschien moet ze haar angst voor Jacco opzij zetten.

Angst... Het woord steekt nu ineens de kop op. Ze had het gevoeld, maar er geen naam aan kunnen geven. Altijd als Jacco in haar nabijheid is, voelt ze zich onrustig, is er het gevoel dat hij haar kan maken of breken. Zelf heeft ze hem daar de middelen voor in handen gegeven toen ze besloot niets van haar verleden met Marius te delen. Op dit moment voelt ze een soort overmoed: wat kan haar gebeuren? Er is geen reden voor angst. De verhouding tussen haar en Marius is solide. Daar kan Jacco niets aan veranderen.

Marius zal teleurgesteld zijn als hij achteraf hoort dat ze niet eerlijk is geweest en het zal moeilijk worden om hem de reden daarvan duidelijk te maken. Hij zal haar verwijten dat ze het hele hoofdstuk van Jacco verzwegen heeft. Het zal waarschijnlijk niet makkelijk worden, maar uiteindelijk zullen ze er samen uitkomen. Ze is ervan overtuigd.

Haar beslissing om te zwijgen is niet terug te draaien, maar Jacco kan haar er niet langer mee chanteren. Hij zal ontdekken dat ze in de loop van die twintig jaar een vrouw is geworden met wie niet te spotten valt. Ze is een sterke vrouw en dat zal ze zichzelf steeds voor blijven houden. Tevreden rijdt ze even later haar auto de oprit naar hun woning op.

Al snel laat de overmoed haar in de steek en wordt ze bevangen door rusteloosheid. Ze is blij als ze Gwenn en Britt tussen de middag van school kan halen, maar na een uurtje moeten ze weer terug. De rust die ze in huis vaak als aangenaam ervaart, staat haar nu tegen. Ze zet de radio aan, speelt een spelletje op haar mobiele telefoon, stuurt een sms'je aan haar broer. Ze wacht op antwoord, maar haar telefoon blijft zwijgen.
Daarna start ze de computer op, leest ongeïnteresseerd haar mail door en beantwoordt alleen die berichten die geen uitstel kunnen dulden. Ze klikt naar de website van hun hotel en bekijkt die met een kritisch oog. Haar conclusie is dat de site te weinig uitstraling heeft. Binnenkort moet ze eens met hun webdesigner overleggen over een nieuwe site. Ze krabbelt de aantekening in haar agenda, kijkt op haar horloge en ontdekt dat de tijd tergend langzaam voorbijgaat. Na nog een aantal beoordelingen over La Vista te hebben bekeken, die stuk voor stuk lovend zijn, weet ze echt niets meer te verzinnen. Nog even twijfelt ze, dan pakt ze haar telefoon en drukt het nummer in dat ze een paar dagen ervoor uit Jacco's personeelsdossier heeft overgenomen.
'Heb je even tijd?' informeert ze als ze zijn stem hoort. 'Ik denk dat het goed is als we samen wat dingen op een rijtje zetten.'
'Waar?' hoort ze hem vragen.
'Het lijkt me het eenvoudigst als je hier komt.'
'Waar is hier? In het hotel?'
'Nee, thuis.' Terwijl ze de woorden uitspreekt, voelt het ineens als een foute keuze, maar er is geen weg terug. 'Neem maar een taxi op mijn kosten richting Thomas à Kempislaan.'
Ze voelt zijn verwondering door de telefoon heen.
Ze had hem niet moeten bellen.

'Je moet je hier niet te veel van voorstellen,' zegt ze afgemeten als hij nog maar net op een stoel zit. 'Er moeten tussen ons nog wat obstakels uit de weg geruimd worden, dat is het enige.' Ze ziet hoe hij naar

haar kijkt. Hij knijpt zijn grijze ogen tot spleetjes. De pretlichtjes ontbreken.
'Ik heb gemerkt dat het na ons gesprek moeilijk werd om op een normale manier met elkaar om te gaan,' vervolgt ze. 'Dat vind ik een ongewenste ontwikkeling.'
Hij zit rechtop, zijn rechterbeen over het linker gevouwen. Zo kent ze hem niet, alsof hij zich hier niet op zijn gemakt voelt. Zijn handen rusten op zijn knie. Hij draagt een gouden ring met een kleine, onopvallende steen om zijn rechter ringvinger. Die is haar nog niet eerder opgevallen, maar nooit eerder heeft ze ook zo naar zijn handen gekeken.
'Ik ben blij dat je erop terugkomt,' zegt hij. 'Ons gesprek zat me dwars en ik vond dat nog lang niet alles was gezegd.'
'Ik heb ook iets gemist,' zegt ze. 'Ik wachtte op woorden van spijt, op een excuus.' Ze kijkt hem aan. Zijn blik rust heel intens op haar en stuwt haar het bloed naar haar wangen.
'Misschien kwam dat door mijn verwondering,' zegt hij. 'Ik had verwacht dat je je tijdens dat eerste sollicitatiegesprek al zou wreken.'
'Wreken,' zegt ze nadenkend. 'Oog om oog, tand om tand. Volgens mij heeft wraak geen enkele zin.'
'Leg me nu eens uit waarom je Marius er nooit over hebt verteld? Ik begrijp in ieder geval dat hij niets van me weet.'
'Toen ik Marius leerde kennen, speelde het al geen rol meer. Ik was volwassen geworden en na al die jaren vond ik in Marius iemand die ik vertrouwde.'
'Je moet niet denken dat ik destijds niet van je hield. Integendeel: jij was de eerste van wie ik werkelijk hield. Het waren de omstandigheden die me ertoe brachten om op die manier bij Blink te vertrekken.'
'Omstandigheden... Onze ruzie, bedoel je. Ik had verwacht dat je terug zou komen. Ik heb nooit begrepen hoe het tussen ons zo ineens voorbij kon zijn. Ik was zestien en onschuldig. Het heeft me jaren gekost om eroverheen te komen.' Ze schrikt van haar eigen heftig-

heid, ontmoet zijn aandachtige blik en slaat haar ogen neer. 'Misschien moet ik maar een glas wijn inschenken.'

Hij zwijgt als ze opstaat, met trillende handen glazen pakt en er rode wijn in schenkt. Als ze gaat zitten, probeert ze zich weer te hervinden, laat de volle wijn door het glas heen rollen en neemt voorzichtig een klein slokje.

'Het spijt me,' hoort ze hem dan zeggen. Woorden waar ze op heeft gewacht. Ze schrikt van de emotie die ze in haar teweegbrengen, probeert niets te laten merken en is blij dat hij verder praat. 'Ik heb heel veel aan je gedacht, al die maanden dat ik onderweg was. Destijds voelde ik me opgelucht dat ik alles achter me kon laten en per trein het land uit reed. In mijn jeugdige overmoed dacht ik dat het leven nu pas echt zou beginnen. Toen wist ik nog niet dat een mens altijd zichzelf meeneemt.'

Ze wil iets terugzeggen, maar er kropt iets in haar keel dat haar het spreken belet. Manhaftig probeert ze haar tranen terug te dringen.

'Ik heb je heel veel pijn gedaan, hè?' Zijn stem klinkt warm en meelevend. Ze veegt tranen van haar wangen. Jacco legt in een warm gebaar zijn hand op de hare. 'Vera, het spijt me.'

Ze had hem niet moeten vragen. De gedachte komt in haar op wat Marius zou denken als hij hen zo zou zien. Ze trekt haar hand onder die van Jacco vandaan en veegt nogmaals over haar gezicht. Marius kan dit overduidelijk beter niet weten. Hij zou het niet begrijpen en zijn eigen conclusies trekken.

Ze slikt, probeert haar emoties weer de baas te worden. Marius heeft dat niet verdiend. Er mag niets of niemand tussen haar en Marius komen, en zeker Jacco niet.

'Laten we Marius hier niets over vertellen,' zegt ze daarom plompverloren. 'Het zou niet goed zijn voor ons, maar zeker niet voor hem. Misschien moet je nu maar gaan. Ik hoop dat de lucht tussen ons weer een beetje geklaard is. Zal ik dan nu maar een taxi voor je bellen?'

'Is Marius ooit meer geworden dan iemand die je vertrouwde?' wil

Jacco weten terwijl ze het nummer van de taxicentrale intikt.
'Marius is de liefde van mijn leven.' Ze zegt het met overtuiging. De telefoon gaat over. Ze kijkt naar Jacco, die zijn glas wijn in een keer leegt en dan opstaat. 'Laat die taxi maar. Ik loop liever.'
De taxicentrale meldt zich. Vera verontschuldigt zich omdat ze een verkeerd nummer heeft ingetoetst.

De lucht is fris, maar dat dringt niet eens tot Jacco door. Hoe komt het dat hij had verwacht dat Marius nooit meer dan iemand die ze vertrouwde voor Vera was geworden? Over naïviteit gesproken.
Marius is een gelukkig man en hij beseft dat zelf veel te weinig. Het moet geweldig zijn om de liefde van iemands leven te zijn. Was Vera dat misschien voor hem geweest?
Hij wilde het niet. Van het leven had hij geleerd dat hij zich niet kwetsbaar op moest stellen. Vertrouwen werd in zijn geval altijd beschaamd. Hij moest anderen steeds een slag voor zijn. Zo heeft hij geleefd en daardoor meende hij dat hij onkwetsbaar was. Die houding was zijn harnas.
Vera blijkt zijn achilleshiel.
Het was dom van hem om haar achterna te lopen. Ze kwetst hem veel vaker dan goed voor hem is.
Het is duidelijk: Marius is de liefde van haar leven. Jacco zal genoegen moeten nemen met het feit dat ze hem in haar leven duldt. Kennelijk heeft ze vertrouwen in zijn capaciteiten. Ze is zijn werkgeefster. Niet meer en niet minder.
Hij weet niet of hij dat verdragen kan.

Op het bureau van Marius ligt een brief. Hij heeft hem de hele middag al heen en weer geschoven. Eerst werd zijn aandacht door andere belangrijke zaken opgeëist, door Jacco bijvoorbeeld, die halverwege de middag zijn belofte was nagekomen.
'We moeten serieus werken aan je menukaart.' Met die mededeling was hij binnengevallen. 'Tegenwoordig bestaan er prachtige spread-

sheetprogramma's op de computer, waarin alle berekeningen zijn geautomatiseerd. Dat betekent ook tijdwinst. Uiteraard moet je de gegevens eerst invoeren, maar daarna is na één druk op de knop duidelijk welke gerechten de hardlopers en welke de slapers zijn. Van die hardlopers kunnen we de verkoopprijs verhogen en daarmee de brutowinst.'

'Jacco, ik heb een dergelijk programma nog niet, maar dat wil niet zeggen dat ik de term hardloper en slaper niet ken.' Het had hem geïrriteerd dat zijn general manager werkelijk leek te denken dat hij pas kwam kijken. 'Ik weet dat de hardlopers gewild zijn bij de gasten, maar voor minder winst zorgen. Bij de slapers is de winst gunstig maar ze zijn helaas minder populair. We geven ze een beter plekje op de menukaart. Uit ervaring weet ik dat hun populariteit daarna toeneemt.'

Hij had gezien hoe Jacco zijn kaken op elkaar klemde. 'Akkoord. Zal ik het programma voor je downloaden? We kunnen van de week dan eens kijken hoe het werkt. Misschien zou je dit soort dingen samen met Vera moeten doen. Ze is een erg intelligente vrouw en daar maak je te weinig gebruik van. Ik hoop dat je me die opmerking niet kwalijk neemt. Zo zie ik het.'

Het gesprek had hem beziggehouden, en vooral die laatste opmerking. Hoe kwam Jacco daar zo op? Had hij het er met Vera over gehad?

Een poosje later was hij in beslag genomen door een paar telefoontjes en toen was zijn aandacht weer op de langwerpige envelop gevallen. Hij had aan niets bijzonders gedacht toen hij de envelop openscheurde en de brief begon te lezen. Nu dansen de letters voor hem op het witte papier. Lange, sierlijke letters zijn het, duidelijk geschreven door iemand die al wat ouder is. *Tante Simone*, staat onder aan het epistel in diezelfde fraaie letters. Hij kent haar niet. Zij kent hem ook niet, schrijft ze in de brief. Ze is de oudste zus van zijn vader en met haar broer had ze geen contact tijdens zijn huwelijk met Jetty. Verder schrijft ze daar niets over, maar wel wil ze hem

graag spreken. Ze gaat ervan uit dat hij al op de hoogte is van het overlijden van zijn vader.
Die laatste zin leest hij wel tien keer over, alsof hij het idee heeft dat hij het niet goed gelezen heeft. Dan sluit hij zijn ogen en steunt zijn hoofd in zijn handen. Nee, hij wist het niet. Hij was niet op de hoogte van het feit dat zijn vader twee weken geleden is overleden. 'Plotseling. Hij heeft niet geleden, en voor hem zijn we daar dankbaar voor. Voor ons als nabestaanden is het onvoorstelbaar dat hij er niet meer is,' schrijft tante Simone. Ze wil graag dat hij komt. Een reden vermeldt ze niet.
Marius staat op. Hij gaat voor het raam staan en ademt diep in en uit. Zijn vader is overleden. Zijn altijd afwezige vader.
Wat had hij hem graag verteld over het leven dat hij leidde, de prachtige vrouw die hij getrouwd had, de geweldige meiden die zijn dochters waren. Soms vroeg hij zich af of zijn vader nooit nieuwsgierig naar hem was. Zou hij nooit iets hebben gehoord over zijn restaurant? Zelfs vroegere klasgenoten hadden contact met hem gezocht. Sommigen hadden zelfs La Vista met een bezoek vereerd. In stilte had hij gehoopt dat zijn vader op een dag zomaar voor hem zou staan. Toen dat maar niet gebeurde, overwoog Marius meer dan eens om zijn vader dan maar op te zoeken. Er zou vast wel een manier zijn om zijn verblijfplaats te achterhalen.
Die gedachte werd altijd gevolgd door het idee dat zijn vader wellicht helemaal niet geïnteresseerd in hem was. Anders zou hij toch wel iets van zich hebben laten horen? De kans zat erin dat hij zich zelfs ongemakkelijk zou voelen als zijn zoon ineens aan de telefoon zou hangen of op zijn stoep zou staan.
Hij had er zo vaak aan gedacht. Hij had zich afgevraagd wat hij zou moeten zeggen. Nu hoefde dat niet meer. Nooit meer. Er valt niets terug te draaien, niets meer ongedaan te maken.
Op zijn horloge ziet hij dat de mensen van het programma *Koksmaatjes* bijna op de stoep staan. Hij hoopt dat Vera er op tijd zal zijn.

Ze had geen wijn moeten drinken. Overdag drinkt ze nooit en dat ene glas is haar nu slecht bekomen. Met veel moeite weet Vera haar gedachten bij het gesprek met de producenten van *Koksmaatjes* te houden.
'We komen een hele dag filmen,' vertelt een vriendelijke jongeman met een bos wilde, blonde krullen. Hij heeft zich voorgesteld als Alex en ziet eruit alsof hij het leven met een korreltje zout neemt.
'De kandidaten moeten die dag taken in de keuken overnemen,' licht Iris toe, die in alles de tegenpool van haar collega Alex lijkt. Ze is klein, donker en kijkt doorlopend zorgelijk. 'In overleg met jullie wordt het menu samengesteld. U houdt de supervisie.' Iris kijkt Marius vorsend aan. 'Denkt u dat u dat kunt?'
'Volgens mij heb ik al jaren de supervisie in deze keuken,' grijnst Marius.
'Goed.' Bij Iris kan er geen glimlach af. 'Ons team peilt de reacties van de gasten op die avond en aan het einde mag u met de andere juryleden punten uitdelen voor de verschillende prestaties van de kandidaten. Die cijfers worden gegeven voor zowel voor-, hoofd- als nagerecht, de punten worden opgeteld en wie de meeste heeft is de winnaar. De twee mensen die als laagste eindigen, doen de volgende keer niet meer mee.'
Zou het echt door de wijn komen dat ze zich zo slecht kan concentreren of heeft het gesprek met Jacco haar meer gedaan dan ze wilde?
Marius loopt door zijn keuken. Zijn enthousiasme is groot. 'Ik vind het een geweldig concept,' roept hij uit. 'Het bijzondere is dat het nu echt om amateurs gaat.'
'Je zult je gasten wel op de hoogte moeten stellen,' oppert Vera. 'Het zal misschien van invloed zijn op de... de kwaliteit.' Ze heeft echt moeite met formuleren.
Niemand lijkt het in de gaten te hebben. Alex merkt op dat uiteraard aan de gasten moet worden meegedeeld dat er televisieopnamen voor *Koksmaatjes* plaatsvinden, maar stelt hen direct gerust met de mededeling dat de meeste gasten het geweldig vinden om op

televisie te figureren.
Haar gedachten dwalen weer af. Op de een of andere manier had ze het idee dat Jacco ontstemd was toen hij vanmiddag vertrok. En toch is het gesprek prima verlopen. Open en eerlijk hebben ze zich naar elkaar uitgesproken. Ze heeft hem hier in het hotel niet meer gezien, maar het gebouw is wel zo groot dat het niet zo heel moeilijk is om elkaar te ontlopen.
'De wijnkeuze?' hoort ze Iris zeggen en ze ziet hoe Alex en Marius haar afwachtend aankijken.
'Wijnkeuze?' herhaalt ze. 'Ach ja, natuurlijk, die is minstens zo belangrijk. Moet die ook in de beoordeling meegenomen worden?'
Iris kijkt nog zorgelijker. 'Het is de bedoeling dat de kandidaten ook een wijnadvies afgeven, legde ik net uit.'
'Geweldig, erg goed idee. Ik denk dat het een mooi programma gaat worden. Het is fijn dat ons restaurant daar ook een rol in kan spelen.'
Als ze die laatste woorden net heeft uitgesproken, zwaait de deur van het restaurant met een klap open. 'Wat is hier de bedoeling van?' Jacco stuift binnen.
Vera onderschept verbaasde blikken van Iris en Alex, maar Marius blijft rustig. 'Deze twee mensen zijn van het programma *Koksmaatjes*, dat vorig jaar voor het eerst op televisie te zien was, en dat bleek een heel succesvolle formule. Aan ons de eer om dit seizoen ook een rol te spelen.'
Jacco bindt in. 'En wat voor een rol zal dat dan zijn?'
Geduldig legt Iris nog eens de bedoeling uit. Met haar hand wrijft ze af en toe over haar gemillimeterde, donkere haar. 'Het restaurant zal dus die avond volop in de schijnwerpers staan,' eindigt ze. 'We beginnen altijd met het filmen van de buitenkant met daarop de naam van het hotel. Vorig jaar hebben de deelnemende restaurants meer gasten binnengehaald.'
Ze praat tegen Jacco alsof ze hem moet overhalen.
'Daar heb ik het straks wel met meneer Dupeur over.' Met een onge-

duldig handgebaar legt Marius haar het zwijgen op.
'Tja, dan zullen we tegen die tijd nog contact met u opnemen om het programma verder door te spreken,' beëindigt ze haar verhaal, om vervolgens aan te kondigen dat ze dan nu maar weer gaan.
Vera begeleidt hen naar buiten en blijft wachten tot ze hun auto gestart hebben. Ze informeert bij de receptioniste naar bijzonderheden, die zich niet blijken te hebben voorgedaan, en loopt dan met tegenzin terug naar de lift die haar weer naar de keuken op de bovenverdieping moet brengen.
Voordat ze de deur geopend heeft, hoort ze al dat Jacco er nog is. Zijn stem klinkt hard. 'En toch hoor je dat met mij te overleggen. Ik ben hier verantwoordelijk voor de gang van zaken. De vraag is of we het ons wel kunnen permitteren om een dag zo'n cameraploeg over de vloer te hebben.'
'Dit is mijn zaak,' zegt Marius, een heel stuk rustiger. 'Jij bent general manager, maar ik ben de eigenaar, vergeet dat niet. Deze keuken is mijn domein. Ik heb ervaring met televisieopnamen en ik weet dat het een opsteker voor onze zaak kan zijn. Ik heb waardering voor het concept van het programma en als ik vind dat ik daar mijn medewerking aan moet verlenen, dan doe ik dat. Jou ben ik op dat moment geen verantwoording schuldig.'
'We hebben problemen.' Jacco dempt z'n stem. 'Er is afgelopen zondagavond weer geld gestolen van een van de gasten. Ik was er die avond niet, maar ik heb de namen van de bediening van die avond naast de namen van die andere avond gelegd. Twee namen kwamen overeen. Als we onze vrouw nou nog niet gepakt hebben op de avond dat ze hier komen filmen? Als een van de bewuste vrouwen nou net die avond weer toeslaat? Hoe denk je dat dat op televisie overkomt?'
'Zorg ervoor dat die twee dan niet ingeroosterd worden. Er kan op zo'n avond altijd wat misgaan, maar dit kun je voorkomen.'
'En daar mag ik dan weer voor zorgen,' moppert Jacco.
Vera is zachtjes binnengekomen. De beide mannen lijken haar niet

in de gaten te hebben.
'Het is een onderdeel van je werk!' Marius is rood aangelopen. De blikken van de beide mannen kruisen elkaar. Vera houdt haar adem in.
Dan draait Jacco zich om. 'Een volgende keer hoop ik in ieder geval op de hoogte gesteld te worden,' zegt hij ijzig, voordat hij zich uit de voeten maakt. Heel even kijkt hij haar aan, maar direct wendt hij zijn gezicht weer af. In dat korte moment is ze geschrokken van de woede die ze in zijn blik heeft gelezen.
Even later houdt ze zich voor dat ze het zich heeft verbeeld.

Na alle commotie op deze dag, is de brief van tante Simone gewoon op het bureau van Marius blijven liggen. Hij heeft niet eens overwogen om haar te bellen. Zijn vader is overleden en tante Simone heeft nooit van zich laten horen. Waarom zou hij zich dan nu haasten? Komende week zal hij het wel een keer aan Vera voorleggen. Meestal heeft zij wel een heldere kijk op dit soort zaken. Hij legt de brief nonchalant bij de andere post.
Zijn vader is overleden. Eigenlijk verandert er niets, en toch voelt het anders.

7

DIE AVOND HEEFT JANITA DIENST IN LA VISTA. JACCO ZORGT DAN ALTIJD dat hij nog even binnenloopt. Zonder dat zij het in de gaten heeft, observeert hij haar, ziet goedkeurend hoe ze op een heel natuurlijke wijze contact met de gasten legt. In vergelijking met de andere medewerkers in de bediening lijkt ze sneller en vrolijker te zijn. De gasten lijken werkelijk vaker te lachen als zij hun bestelling brengt. Het komt regelmatig voor dat Vera dezelfde avond dienst heeft. In dat geval waagt hij het niet om te vaak in de buurt van Janita gesignaleerd te worden. Voor Vera heeft hij ook bewondering. Ze is een uitstekende gastvrouw, altijd daar waar ze het meest nodig is. Bij drukte zorgt ze ervoor dat de tafels, direct nadat de gasten vertrokken zijn, afgeruimd en weer keurig gedekt worden. Veel mensen worden graag door haar bij hun wijnkeuze geadviseerd. Het liefst zou hij stilletjes in een hoekje kijken hoe de avond in het restaurant verloopt. Hij zou alleen maar oog hebben voor Janita en voor Vera. Hij doet het nooit. Vaak zorgt hij er zelfs voor dat hij elders is als Vera ook moet werken. Ze moet vooral niet denken dat hij nog meer dan gemiddelde belangstelling voor haar heeft.

Vroeger bevond Jacco zich graag in de nabijheid van zijn moeder. Als zij de toiletten schoonmaakte, hing hij het liefst aan haar rokken. Zijn vader had daar een hekel aan. Als hij zijn zoon in de toiletten betrapte, was de wereld te klein. Meestal probeerde zijn moeder hem te redden met de smoes dat hij haar hielp. Jacco kan zich niet heugen dat die uitvlucht ooit clementie van zijn vader heeft opgeleverd. Zijn vader sloeg graag.
Als zijn vader niet in de buurt was, vertelde zijn moeder verhalen tijdens het schoonmaken. Hij mocht de wasbakken poetsen. Zij vertelde over haar jeugd, over haar ouders die al heel jong waren gestorven, waarna zij naar een oom en tante ging die een boerderij hadden. 'Ze hadden zelf geen kinderen en ik voelde aan alle kanten

dat ik welkom was.'
Hij hoorde over de koeien die ze molk, de hutten die ze bouwde en hoe ze zich verbeeldde dat ze een schone jonkvrouw was die gered moest worden door een prins.
Hij luisterde graag naar die verhalen, hij vond het heerlijk om te ruiken hoe de stank van de toiletten werd weggewerkt met een schoonmaakmiddel met een frisse citroengeur. Het was alsof die geur bij haar in de poriën was gaan zitten. Hij rook het 's avonds als hij soms stiekem even bij haar op schoot kroop. Nog altijd moet hij aan zijn moeder denken als hij ergens de geur van zo'n schoonmaakmiddel opsnuift.
Op die bewuste dag is hij niet alleen Vera kwijtgeraakt, maar ook zijn moeder. Hij wilde haar geen pijn doen, maar hij kon niet anders om zijn vader van zich af te schudden. Zou dat eigenlijk ooit mogelijk zijn? Zou hij ooit werkelijk van zijn vader loskomen? Het is een gedachte die in hem opkomt, terwijl hij 's avonds door de rustige gangen van het hotel loopt. De meeste gasten zijn op dit tijdstip nog niet op hun kamer. Af en toe hoort hij het geluid van een televisie waarmee elke kamer standaard is uitgerust. Soms klinken er stemmen, maar op de meeste kamers is het stil. Veel mensen zitten op dit moment in het restaurant of het Grand Café te dineren.
In de paar maanden dat hij hier nu werkt, is Hotel Emma helemaal bij hem gaan horen. Het voelt vertrouwd en goed. Wel is hij juist hier steeds meer gaan terugdenken aan vroeger. Hoe hij zich in de loop der jaren heeft opgewerkt. Als crimineel kwam hij bij zijn oom Leo, waar hij als afwashulp begon. Daarna wilde hij niet in de horeca blijven, dus hij zocht zijn geluk in het bedrijfsleven. Jaren erna kwam een hotel in Amsterdam op zijn weg. Hij kreeg er plezier in. Van het ene hotel kwam het andere. Is het gek dat hij daarna die vacature voor dit hotel ontdekte?
Al die jaren heeft hij keihard gewerkt en gestudeerd om dit te bereiken. Dat had niets met Vera te maken. Veeleer had het te maken met zijn innerlijke *drive* om iemand te worden naar wie men opkeek.

Nog altijd hunkert hij naar goedkeuring en misschien moest hij eerlijk tegenover zichzelf zijn. Stilletjes hoopt hij dat zijn vader weet dat hij het tot general manager bij een gerenommeerd hotel heeft gebracht.
Is hij werkelijk al die tijd een kind gebleven? Een kleine jongen die de goedkeuring van zijn vader zoekt? Hij zou zijn moeder weer willen zien en trots in haar ogen willen lezen.
Langzaam loopt hij de trap af die hem naar de verdieping van het Grand Café brengt. Waar moet hij haar zoeken? Hij heeft haar hart gebroken toen hij de wereld in trok met gestolen geld, hij heeft nogmaals haar hart gebroken toen hij later te kennen gaf dat hij het contact wilde verbreken. Hij had al veel eerder haar hart gebroken...

Als hij even later weer met de lift naar boven is gegaan en door de gang loopt, stuit hij op Fieneke, die hem verlegen uit de weg gaat. Stilletjes loopt ze het restaurant weer binnen. Haar houding irriteert hem. Als hij Fieneke ziet, voelt hij al wrevel opkomen. Dat ligt aan de manier waarop ze naar hem kijkt, alsof hij een boeman is, alsof hij haar werkelijk angst aanjaagt. Marius en Vera zijn vol lof over haar. Ze hebben het over een ervaren kracht die al jaren naar volle tevredenheid bij hen werkt. Hij is haar liever kwijt dan rijk.
Janita loopt hem voorbij. Heel even raakt ze zijn schouder en ze glimlacht. Hij trekt zijn wenkbrauwen op, zij knikt haast onmerkbaar. Even later loopt hij op Fieneke toe. 'Wat heb jij net op de gang gedaan?'
Ze bloost. Dat doet ze altijd als hij het woord tot haar richt. 'Je hoeft niet zo te kleuren,' zegt hij overdreven vriendelijk, waardoor haar wangen nog roder worden.
'Ik moest mijn vriend bellen of alles goed was. Vanavond past hij voor het eerst op mijn kinderen,' verklaart ze haar aanwezigheid in de gang verlegen.
'En was alles goed?'

'Ja, ze sliepen allebei.' Hij voelt bijna haar opluchting als hij haar toevoegt dat ze maar weer snel aan het werk moet gaan.

Aan het einde van de avond kijkt hij opnieuw in haar rode gezicht. 'Ik was het niet,' zegt ze heftig. 'Ik was het echt niet. Ik zal toch wel gek zijn om mijn eigen glazen in te gooien...'
'We zullen het zo zien,' merkt Jacco ijzig op. 'Niemand komt hier weg zonder zijn tas en zakken leeggehaald te hebben. Ik zou willen dat het niet nodig was, maar we kunnen het ons hier niet permitteren. Dit is een vijfsterrenhotel en La Vista is een restaurant van allure. Mensen moeten zich hier veilig voelen, zo veilig dat ze gerust alles in hun jaszakken in de garderobe kunnen achterlaten. Dat iemand van jullie vanavond weer het tegendeel bewezen heeft, vind ik een kwalijke zaak.'
'Ik kan het haast niet geloven,' voegt Marius daaraan toe. 'Binnen onze restaurants voelde het altijd als één grote familie. Met de diefstallen van de laatste tijd krijg ik het gevoel dat er een andere sfeer is gaan heersen.'
Zijn blik glijdt naar Janita, die er tamelijk onaangedaan bij staat. Vervolgens kijkt hij naar Fieneke, die trilt van nervositeit, naar Frederik en Maaike, die jong en veelbelovend zijn en ook een tamelijk zenuwachtige indruk maken. 'Gaat de dader zichzelf bekendmaken of moeten we echt tassen uitpakken en zakken doorzoeken?' vraagt hij.
'Ik heb het gewoon niet gedaan,' zegt Fieneke nog eens.
'Dan begin jij toch met het uitpakken van je tas?' De stem van Jacco klinkt sarcastisch. 'Als je niet schuldig blijkt te zijn, kun je naar huis.'
Marius betrapt zich erop dat hij zijn adem inhoudt als Fieneke met een rode kleur begint. Haar portemonnee, een rol pepermunt, een pakje zakdoekjes, haar mobiele telefoon, sleutels... Hij ziet hoe ze ineens stopt, hoe die rode kleur zich verdiept. Ongelovig kijkt ze in haar tas. 'Dat kan niet. Dat kan gewoon niet.'
'En wat kan niet?' In een paar stappen staat Jacco naast haar en

schudt de tas leeg. Er valt een pakje uit met daarop de naam van een juwelierszaak uit Zwartburg. 'Je probeerde me wijs te maken dat je naar je vriend gebeld had, maar dit vergat je te vertellen. Kijk, in dit pakje zit een gouden collier en dat had die meneer nu vanavond aan zijn vriendin willen geven nadat hij haar ten huwelijk had gevraagd. Tot die tijd had hij het in de zak van zijn jas in de garderobe laten zitten, want hij meende dat het hier veilig was. Veilig... Die veiligheid moeten wij onze gasten kunnen bieden, en met mensen zoals jij is dat niet mogelijk!'
Marius ziet hoe ze hulpzoekend naar hem opkijkt. 'Ik heb het niet gedaan! Meneer Goedhardt, u kent me toch? U weet toch dat ik nooit zou stelen?' Ze heeft haar vuisten in wanhoop gebald. 'Ik zal me daar toch gek zijn...' Ze boent met die gebalde vuist over haar rode, natte wang.
'Het spijt me,' zegt hij. 'Ik kan niet om dit bewijs heen. Dieven kunnen niet in ons restaurant werken.'
Jacco overhandigt hem triomfantelijk het pakje in het fraaie, glanzende papier waar vanavond zo veel over te doen was. De eigenaar was helemaal ontdaan toen hij zijn zorgvuldig uitgezochte geschenk niet kon vinden.
Marius schaamde zich. Dit mocht niet binnen zijn bedrijf plaatsvinden. Hoe kón Fieneke...
'Juist jij...' zegt hij nu aangedaan tegen een huilende Fieneke. 'Ik vertrouwde je totaal. We hebben samen zo veel meegemaakt. Jij de verhuizing naar dit enorme pand, ik jouw scheiding. Herinner je je nog hoeveel begrip we hadden voor het feit dat je niet optimaal functioneerde? We leefden met je mee en nu... Juist jij... Ik heb er geen woorden voor, maar ik kan niet anders dan je op staande voet ontslaan. Je laat me geen keuze. Juist jij...'
De stilte voelt pijnlijk, maar hij kan geen woorden meer vinden. Het is Jacco die na Fienekes vertrek de stilte verbreekt. 'Ik ben blij dat we de dader gevonden hebben. Nu kunnen we weer verder. Ik zal direct contact opnemen met die meneer. Misschien rij ik er nog even langs

om het pakje af te geven. Een fles champagne voor de schrik lijkt me nu wel op z'n plaats.'
De opluchting van Jacco en zijn andere medewerkers kan Marius niet delen. Juist Fieneke... blijft het maar door z'n hoofd malen. Hij begrijpt het gewoon niet.

Vermoeid en terneergeslagen zet hij een uur later zijn auto in de garage. Er brandt nog licht in de huiskamer. Normaal gesproken vindt hij het fijn om met Vera na te praten over de dag. Nu zou hij willen dat ze was gaan slapen.
'Ik heb alvast een glas wijn voor je ingeschonken,' zegt ze opgewekt als ze hem een kus heeft gegeven. 'Het is weer laat geworden, hè? Waren er nog bijzonderheden?'
Hij schudt zijn hoofd. Morgen zal hij het haar vertellen. 'Wat denk je van dat programma?' wil ze even later weten. 'Van *Koksmaatjes*, bedoel ik.'
Het programma is door de avond helemaal naar de achtergrond gedrongen. Waren die Alex en Iris echt pas vanmiddag bij hem om over dat programma te overleggen?
'Ik denk dat het leuk wordt,' haast hij zich te zeggen als hij haar afwachtend naar zich ziet kijken.
'Ik ook,' is ze het met hem eens. 'Het was een heel prettig stel dat vanmiddag bij ons was. Jammer dat Jacco zich zo gegriefd voelde.'
Hij haalt z'n schouders op.
'Nou ja, misschien heeft hij wel gelijk en moeten we hem ook in deze dingen niet passeren.' Ze merkt de frons op zijn voorhoofd niet op. 'Met Joris bespraken we ook alles. Jacco moet net zo goed weten wat zich in ons hotel afspeelt. We moeten hem vertrouwen.' Afwachtend kijkt ze hem aan. 'Denk je ook niet?'
'Ik ben moe.' Marius rekt zich uit, drinkt zijn glas leeg en staat op. 'Ik twijfel nog weleens of we toch de raad van Joris niet hadden moeten opvolgen en onze keuze op die aardige dame hadden moeten laten vallen.'

'Dat denk ik niet,' zegt ze haastig. 'Ik weet zeker dat we de juiste keuze hebben gemaakt.'
Hij verbaast zich over haar plotseling stelligheid, net zoals hij zich deze middag heeft verbaasd over Jacco's opmerking over Vera. Op dit moment ontbreekt het hem aan moed om erop door te gaan. Hij verlangt heel erg naar z'n bed.

De hemel is zwart. Vera kan het net tussen de iets geopende lamellen door zien. Ze sluit haar ogen, haar hand glijdt iets opzij naar de plek naast haar. Als ze de leegte voelt, begrijpt ze wat haar wakker heeft gemaakt. Met gespitste oren blijft ze liggen, probeert te slapen. Marius zal zo vast weer terug in bed komen. Ze sluit haar ogen, ziet beelden die ze niet wil zien. Jacco beneden in de huiskamer aan tafel, alsof hij hier hoorde. Jacco in gesprek met Iris die alle moeite deed om hem voor haar project te winnen. Jacco en zijn gezicht vol woede toen hij vanmiddag het restaurant uit liep.
Ze wil die beelden kwijt.
Slaperig gaat ze rechtop zitten, ze gaapt, luistert of ze iets hoort, maar er klinkt geen enkel geluid. Rustig schuift ze in haar slippers en ze loopt stilletjes de gang in. Vanuit de kamer ontdekt ze een zwak schijnsel. Even aarzelt ze, dan opent ze toch de deur.
Marius zit bij de tafel voor het raam, zijn hoofd in de handen gesteund. Hij heeft een badjas omgeslagen, zijn blote voeten leunen op de sporten van de stoel naast hem. Hij schrikt als hij haar plotseling gewaar wordt, maar forceert direct een glimlach. 'Heb ik je nu toch wakker gemaakt?'
Ze gaat naast hem zitten. 'Wat is er aan de hand, Marius? Ik weet dat je ergens mee zit en ik wil het graag met je delen. Zit het je echt dwars van Jacco? Twijfel je daar echt aan?'
'Er is zoveel,' zegt hij.
"Wat bedoel je met zoveel?'
'Fieneke heeft gestolen. We hebben haar vanavond betrapt.'
'Dat kan niet!' Haar stem schiet uit. 'Fieneke zou zoiets nooit doen.

Soms voelt dat meisje bijna als familie. Ze is al zo lang bij ons.'
'En toch is het zo.'
Als ze naar Marius' betrokken gezicht kijkt, weet ze dat ze niet anders kan dan hem geloven. 'Wat afschuwelijk! Juist Fieneke... We hebben zo veel geduld met haar gehad, zo veel begrip toen haar man haar in de steek liet. En dan geeft ze ons een trap na.'
'Ik weet niet...'
'Je hebt haar toch betrapt?'
'Er was vanavond een gast die helemaal over de rooie ging. Jacco is erbij gehaald door Janita en er bleek dus opnieuw gestolen te zijn. Het ging om een heel pijnlijke situatie. Die meneer had een collier met ring gekocht voor zijn vriendin. Tijdens het eten had hij haar ten huwelijk willen vragen. We wisten ervan. De champagne stond klaar en uiteraard zou er een grand dessert met geflambeerd ijs door ons restaurant aangeboden worden. Niets was aan het toeval overgelaten. Wij wachtten op het teken dat hij zijn geschenk aan zijn uitverkorene zou overhandigen. Hij had het in zijn jaszak laten zitten, zodat zijn vriendin er echt niets van in de gaten zou hebben. Met een smoes liep hij naar de garderobe om daar dat pakje op te halen, en toen bleek dat pakje er niet meer te zijn...'
'Wat afschuwelijk.' Vera slaat haar hand voor haar mond. Ze huivert in haar dunne roze nachtpon. 'Wat een vreselijke situatie, Marius. Het verklaart natuurlijk wel dat Fieneke wist dat er iets kostbaars te vinden was. Maar wat dom van haar. Het is toch logisch dat het uitkomt op die manier... Ik begrijp het niet, het is niets voor Fieneke.'
'Zo voel ik dat ook. Ik vind het een raar verhaal.'
'Maar als je zelf dat pakje uit Fienekes tas hebt zien komen, kun je er niet omheen,' concludeert Vera verslagen. 'Ik kan me voorstellen dat dat er stevig inhakt. Het is nogal niet wat... Maar dat was dus nog niet alles wat je vandaag aan narigheid te verwerken hebt gekregen? Ik vind dit eigenlijk al erg veel.'
Marius haalt diep adem. Hij heeft het bericht diep weggestopt in zijn geheugen. Nu hij het hardop moet zeggen, voelt hij hoeveel moeite

het hem kost. 'Vandaag heb ik bericht gekregen dat mijn vader is overleden.'
'En dat vertel je me nu pas?' Niet-begrijpend kijkt ze hem aan. 'Wanneer is hij overleden? We moeten wel naar zijn begrafenis, ik ga er in ieder geval van uit dat jij dat ook wilt. Hij blijft toch je vader, al zagen we hem niet vaak.'
'Hij is al begraven. Twee weken geleden overleed hij heel plotseling. Hij blijkt een zuster te hebben, die mij nu pas op de hoogte heeft gesteld. Mijn moeder heeft het nooit over haar gehad. Ik heb ook mijn vader nooit over haar gehoord, maar ik heb ineens een tante Simone.' Als hij haar niet-begrijpende blik onderschept, vertelt hij over tante Simone en haar brief.
'Nu valt er dus niets meer goed te maken,' zegt ze nadenkend. 'Van zijn kant niet en van jouw kant niet.'
Hij zwijgt.
'Nu denk ik dat ik vaker had moeten aandringen dat je eens naar je vader zou gaan. Het is gek dat een mens altijd meent dat er tijd genoeg is, dat het later nog wel kan.'
'Dat dacht hij blijkbaar zelf ook, want ik heb hem hier evenmin gezien,' verdedigt hij zich.
'Ook dat is geen excuus. Je hebt er namelijk helemaal niets aan.'
Opnieuw hult hij zich in stilzwijgen.
'Ik begrijp ook niet dat je het niet direct aan me hebt verteld,' gaat Vera door. 'Je wist het vanmiddag al en je hebt me niets gezegd.'
'Ik wist in eerste instantie niet wat ik ermee moest,' bekent hij. 'Bovendien kreeg ik die mensen van *Koksmaatjes* op bezoek en toen kreeg ik die preek van Jacco over me heen. Vanavond was er dan nog die hele ellende met Fieneke, waardoor het gewoon naar de achtergrond raakte. Ik weet nu nog niet wat ik ermee moet. Die tante Simone ken ik niet en ik vraag me af of ik haar wel wil leren kennen.'
'Misschien kan ze je meer over je vader vertellen. Het is toch al bijzonder dat ze contact met je heeft opgenomen? Zou je moeder er

wel van weten? Dat zal toch niet? Ze zou het je toch wel hebben verteld? Als zij het niet weet, moet jij haar op de hoogte stellen. Al is ze al jarenlang van hem gescheiden, ik ben ervan overtuigd dat het haar nog steeds wat zal doen. En ik vind dat je die tante echt moet bellen voor een afspraak. Ik kan je natuurlijk niet dwingen, maar ik denk dat het heel goed is als je haar kant van het verhaal ook eens hoort. Je vader praatte er nooit over als je hem al zag, en van je moeder hoor je alleen maar negatieve dingen. Misschien krijg je wel een heel ander beeld van de zaak als je eens met haar praat.'

Natuurlijk kent hij Vera. Hij had haar reactie wel verwacht en toch ergert hij zich nu. 'Ik begrijp het niet,' werpt hij tegen. 'Waarom voelt het mens ineens behoefte om me te zien? Meer dan veertig jaar is ze mijn tante en nooit heeft ze ook maar iets van zich laten horen.'

'Je kunt er alleen achterkomen door haar ernaar te vragen. Ik wil je steunen, Marius. Ik wil met je mee.' Ze pakt zijn hand. 'Soms krijg ik het idee dat je me overal buiten houdt. Ik weet niet hoe dat komt, maar ik vind het heel moeilijk.'

Hij glimlacht. 'Nu zeg je dingen die niet waar zijn. Belangrijke dingen bespreek ik altijd met je. Laten we nu maar naar bed gaan. Onze dochters zijn morgen weer voor dag en dauw uit bed.'

Als ze naar de slaapkamer lopen, slaat hij een arm om haar heen. 'Ik ben ontzettend gelukkig met jou en de meiden,' zegt hij. 'Ik wil dat je dat weet.'

Hij staat stil, trekt haar naar zich toe en houdt haar heel stevig vast.

Twee weken later zet Marius zijn auto stil voor een appartementencomplex in Rotterdam. Hij buigt zich over het stuur en zoekt met zijn ogen de verdieping waar zijn tante Simone moet wonen. Ze klonk oprecht blij toen hij haar telefonisch van zijn komst op de hoogte stelde. Zelf heeft hij vooral gemengde gevoelens.

'Zie je ertegen op?' Vera legt haar hand op de zijne. 'Ik denk echt dat het goed is als je eens de andere kant van het verhaal hoort.'

'Ik had liever dat hij me die zelf verteld had,' bromt hij. Als hij uit-

stapt, kijkt hij opnieuw naar boven. Op het balkon staat een vrouw. Ze zwaait naar hem. 'Kom maar gauw boven!' Haar stem klinkt helder en krachtig.
Vera haalt het boeket van de achterbank. Ze heeft het met zorg uitgezocht. Lichte voorjaarsbloemen, passend bij het seizoen. Hij ergerde zich onderweg aan haar enthousiasme over de natuur die nog zo jong en groen was, over de pinksterbloemen en de paardenbloemen. Ze reageerde alsof ze die nooit eerder had gezien. Normaal gesproken vertederde haar enthousiasme over kleine dingen hem, nu was hij te gespannen om er de goede kant van in te zien.
Geruststellend klopt ze hem op de arm. 'Tante Simone is vast een heel aardige vrouw. Je zei toch zelf dat haar stem door de telefoon heel vriendelijk klonk?'
Hij mompelt wat, drukt op de bel naast de glazen deuren.
'Kom binnen, kom binnen,' hoort hij tante Simone zeggen en meteen daarna schuiven de deuren uiteen. Hij weet eigenlijk niet hoe hij zich haar moet voorstellen. In ieder geval niet als de elegante oudere dame die hem even later haar hand toesteekt. Haar lange nagels zijn zachtroze gelakt, in dezelfde kleur als het roze van de blouse die ze draagt onder een lichtgrijs jasje.
'Wat heerlijk dat jullie er zijn. Je hebt een prachtige vrouw, Marius. Je vader had me dat al eens verteld, maar hij heeft geen woord te veel gezegd. Ga zitten, maak het jezelf gemakkelijk. Ik zal voor een kopje koffie zorgen.'
Terwijl tante Simone in de keuken reddert, hebben Vera en Marius rustig de tijd om de kamer in zich op te nemen. Lichte gordijnen die opgehouden worden met een glanzend koord, een bankstel van een grof geweven ecru stof en twee biedermeier armstoelen die met hetzelfde materiaal bekleed zijn. Marius bewondert de mahoniehouten vitrinekast. Even later glijdt zijn hand over het koele marmer van een bescheiden beeld dat een vrouw voorstelt die haar gezicht naar de hemel opheft. De inrichting past wonderwel bij de smaakvolle tante Simone. Vera staat voor de boekenkast, die tal van titels bevat.

'En? Kan mijn interieur jullie goedkeuring wegdragen?' Tante Simone schuift voorzichtig de theetafel op wielen de kamer in, waarop drie kopjes koffie met drie petitfours staan. Ze glimlacht olijk. 'De vitrinekast is mijn trots. Heb je gezien hoe subtiel de versiering in de deur en bovenlijst is aangebracht? Het zijn heel kleine inlegwerkjes van palmhout en ebbenhout.' Ze laat de theetafel staan, wrijft met een verliefde blik over het gladde hout, glijdt met haar vinger zachtjes over een van de inlegwerkjes en zucht. 'Je oom Arnold heeft de kast heel voordelig op een rommelmarkt op de kop kunnen tikken. Hij hield van rommelmarkten. Destijds vond je er fraaie stukken voor heel weinig geld. Mensen hadden vaak geen idee wat ze in huis hadden. Tegenwoordig zijn ze zich er veel meer van bewust. Arnold mopperde dat ze tegenwoordig kapitalen vragen voor rommel.'
'Is oom Arnold pas overleden?' waagt Vera het te vragen.
'Welnee, hij leeft al acht jaar niet meer, maar ik mis hem nog elke dag.' Haar gezicht staat zacht. 'Hij heeft me op zijn sterfbed laten beloven dat ik niet thuis zou blijven kniezen. Daarom pak ik mezelf elke dag aan, nodig visite uit of ga zelf op bezoek. Maar alles is anders geworden. Ik leef met een doorlopende heimwee naar wat was en nooit meer terugkomt.'
Ze glimlacht een beetje verdrietig, maar herneemt zich dan. 'Laten we de koffie niet koud laten worden. Jullie willen weten waarom ik die brief heb geschreven. Ik begrijp dat jullie nog niet wisten van het overlijden van Edward. De brief zal dus een grote schok teweeg hebben gebracht en dat spijt me oprecht.' Voorzichtig zet ze de kopjes op tafel, slaat Vera's aanbod om een handje te helpen af. 'Ik doe al jaren alles alleen. Als ik oud en gebrekkig ben, is het nog vroeg genoeg om hulp te aanvaarden.' Ze lacht om haar eigen grapje, maar zit even later toch heel serieus tegenover hen. 'Jullie moeten geloven dat ik het altijd heel erg heb gevonden te weten dat ik een neef had, die ik nooit zag. Arnold en ik hebben zelf geen kinderen gekregen. We hadden je graag eens te logeren gehad, maar Jetty wilde daar niets

van horen.' Opnieuw is er die wat melancholieke glimlach. 'In die tijd was het al nauwelijks voor te stellen dat jouw ouders ooit echt van elkaar hadden gehouden. Het probleem was dat ze niet bij elkaar pasten. Ik heb Edward gewaarschuwd, maar hij weigerde het in te zien. En dus trouwde hij met Jetty. Wat haar betreft: ik denk dat ze zich met haar huwelijk vooral afzette tegen haar ouders.' Ze wacht even, maar als Marius niet reageert, vervolgt ze: 'Edward was een kunstenaar.'

'Een kunstenaar?' Nu reageert Marius wel. 'Dat heb ik nou nog nooit gehoord.'

'Dat beeldje is door je vader gemaakt.' Tante Simone wijst naar de vrouwenfiguur die hij even daarvoor nog heeft bewonderd. 'Hij maakte geweldige dingen en waarschijnlijk heeft je moeder gehoopt dat hij een groot kunstenaar zou worden. Zijn talent bleef helaas onopgemerkt. Jetty was de jongste in een welgesteld gezin. Ze was niet in staat zich aan te passen aan een minder rooskleurige financiële situatie. Ze dwong je vader om werk te zoeken.'

'Terecht, lijkt me,' neemt Marius het voor zijn moeder op. 'Hij had een gezin te onderhouden.'

'Hij was een kunstenaar en dat wist ze,' zegt tante Simone afgemeten. 'Ze zag in haar jeugdigheid waarschijnlijk alleen de romantiek. Haar houding beïnvloedde zijn creativiteit. Hij zocht werk bij een tuinder. Zij vond dat hij een kantoorbaan moest vinden. Hij vond een kantoorbaan. Zij vond dat hij daar promotie moest maken. In de loop der jaren zag ik hem ongelukkiger en haar ontevredener worden. Kort na jouw geboorte trok hij er soms een tijd tussenuit om aan haar te ontkomen. Het maakte haar woedend. Hij voelde zich schuldig, zocht weer een baan. Voor haar was het nooit genoeg. Hij deed echt zijn best, maar zij was nooit tevreden, en zo raakten ze steeds verder in een negatieve spiraal. Op een gegeven moment gaf ze aan dat ze wilde scheiden. Edward stemde toe. Ze was nog niet tevreden en eiste te veel alimentatie. Vervolgens hield ze jou zo veel mogelijk bij hem weg.'

'Hij was altijd op reis,' protesteert Marius.
'Dat is haar lezing. Meer dan eens stond hij voor een dichte deur. Dan was ze er met jou vandoor, zodat hij je niet kon ophalen. In die tijd probeerde ze haar oude leven weer op te pakken, maar dat lukte haar niet. Haar ouders hadden het contact met haar verbroken na haar huwelijk en daar kwam na de scheiding ook geen verandering in. Ik geloof dat ze veel uitging. Edward maakte zich zorgen over jou. Je vervreemdde van hem en hij merkte steeds weer dat Jetty hem zwart maakte tegenover jou. Jij zat tussen hen in en daarom heeft Edward op een gegeven moment afstand van je genomen in de hoop dat je hem zou begrijpen als je volwassen zou zijn. Hij bleef je wel kaarten sturen en cadeaus of kleding. Vrijwel altijd kreeg hij het pakje retour.'
'Mijn schoonmoeder moet wel een vreselijke hekel aan haar ex-man hebben gehad,' merkt Vera op. 'Dat heb ik natuurlijk wel vaker gemerkt, maar dat het zo erg was...'
'Ze voelde zich door hem in de steek gelaten,' neemt Marius het voor zijn moeder op.
Vera ziet hoe tante Simone haar hoofd schudt, maar ze gaat er niet op in. 'Edward was ongelukkig,' vervolgt ze haar verhaal. 'En juist dat kwam zijn creativiteit ten goede. Uit die tijd stamt dit beeldje, dat hij 'blik op de hemel' noemde. Ook toen brak hij niet echt door, maar hij kreeg wel meer waardering en verkocht geregeld iets van zijn werk.'
'Zo heb ik het verhaal nooit gehoord,' reageert Marius als tante Simone haar verhaal heeft beëindigd. 'Ik weet niet beter dan dat mijn vader een onverbeterlijke avonturier was die de verantwoordelijkheden voor zijn gezin ontliep.'
Tante Simone pakt haar kopje, waarin de koffie al lang koud is geworden. Ze drinkt met kleine slokjes, lijkt haar woorden te wegen. 'Ik heb je die brief niet geschreven omdat ik hier je moeder zwart wilde maken. Ik heb je geschreven omdat ik niet kon verdragen dat je de rest van je leven zou blijven denken dat je vader niets van je

wilde weten. Zelf weigerde hij dat beeld recht te zetten, omdat hij je niet het gevoel wilde geven dat je tussen hem en je moeder moest kiezen. Hij was in feite een fijngevoelige man die erg veel van je heeft gehouden. Ik vond dat ik je dat moest vertellen.'

'Daar heb ik in m'n leven dan maar heel weinig van gemerkt, en nu is het te laat.' Marius krijgt een verbitterde trek op z'n gezicht.

'Dat ligt niet alleen aan je vader,' reageert zijn tante resoluut. 'Ik heb je deze brief gestuurd omdat ik hoopte dat je er toch iets mee wilde doen. De laatste tien jaren van zijn leven heeft je vader een intens en liefdevol huwelijk gehad met een bijzonder sympathieke vrouw. Ze hebben elkaar zeer liefgehad, kan ik wel zeggen. Als ze dat in financiën hadden kunnen omzetten, zou het hen aan niets ontbroken hebben, maar helaas werkt dat niet zo. Deze vrouw, Sjoukje is haar naam, heeft na de plotselinge dood van je vader gezorgd voor een keurige begrafenis, maar hij is wel in een algemeen graf gelegd. Dat heeft me heel veel pijn gedaan. Uiteraard heb ik haar financiële steun toegezegd, maar Sjoukje is trots. Ze wilde het van mij niet aannemen. Mijn verzoek is of jij de kosten voor een fatsoenlijk graf en de steen voor je rekening zou willen nemen.'

'Zou ze dat van Marius dan wel willen aannemen?' vraagt Vera met enige schroom.

'Ja, omdat Marius zijn zoon is.'

Met haar nagel pikt ze een zilverkleurig bolletje van haar petitfour en ze steekt het gebakje tussen haar zorgvuldig gestifte lippen. Ondertussen kijkt ze Marius afwachtend aan.

'Ik weet niet of ik hier wel aan wil meewerken. Eigenlijk had ik wel kunnen weten dat ik hier niet voor niets zou worden uitgenodigd.'

'Marius!' schrikt Vera. 'Zeg dat niet.'

Tante Simone steekt bezwerend haar hand omhoog. 'Ik begrijp dat je na moet denken over mijn voorstel. Dit hele verhaal zal je overrompeld hebben.'

'Ik ga naar huis,' zegt Marius terwijl hij abrupt opstaat. 'De grote liefde van mijn vaders leven vond het blijkbaar niet nodig om mij op de

hoogte te stellen van zijn overlijden. Ik had het fijn gevonden als ik bij zijn begrafenis had kunnen zijn. En ook u schreef me pas twee weken later een brief. Wat mij betreft had u dat ook kunnen laten.'
'Marius...' probeert Vera nog eens weer, maar tante Simone knikt haar toe. 'Laat hem maar,' vormen haar lippen geluidloos. 'Ik begrijp dat je van streek bent,' zegt ze hardop tegen Marius. 'Ik begrijp nu ook best dat je graag naar huis wilt, maar ik hoop je terug te zien.'
Hij haalt zijn schouders op.
'Zelfs als je besluit om niet op mijn verzoek in te gaan, ben je hier van harte welkom. Arnold en ik hebben helaas geen kinderen gekregen. Buiten Edward had ik geen verwanten, dus het beetje familie dat me gebleven is, zou ik graag willen koesteren.'
'Bedankt voor de vriendelijke ontvangst,' reageert hij stug en hij negeert haar uitgestoken hand.
Onhandig probeert Vera dat verzuim nog goed te maken door tante Simone een kus op de gepoederde wang te drukken.
'Geef hem de tijd,' zegt deze zachtjes. 'Maar hou me op de hoogte van zijn wel en wee, als je wilt.' Ze lacht samenzweerderig. 'Als hij ook maar een beetje op zijn vader lijkt, komt hij wel. Daar ben ik vast van overtuigd.'
Als Vera naast Marius in de auto schuift en zijn ontstemde gezicht ziet, is zij daar een stuk minder zeker van.

8

JETTY DRINKWATER ZIT AAN DE ZWARE EIKEN TAFEL DIE VOOR HET raam staat. Voor haar ligt het knipselboek. Langzaam bladert ze het door, bestudeert de foto's voor de zoveelste maal, leest de artikelen die ze bijna uit haar hoofd kent. Als ze bij de laatste bladzijde is aangekomen, pakt ze het huis-aan-huisblad dat ze bijna uitgespeld heeft en knipt secuur het artikel eruit, dat voorzien is van een foto. Vera en Marius staan er mooi op. De jongeman naast hen kent ze niet, maar uit het verhaal blijkt dat hij de nieuwe general manager binnen hun hotel is. Ook wordt er melding van gemaakt dat Marius binnenkort zijn medewerking zal verlenen aan een programma waarin amateur-koks het tegen elkaar zullen opnemen.
Die Marius, hij redt het toch allemaal maar. Hij heeft het in ieder geval veel verder geschopt dan z'n vader. Vera en de kinderen hebben het goed bij hem en dat is meer dan zij ooit van Edward heeft kunnen zeggen.
Zou Marius inmiddels weten dat zijn vader niet meer leeft? Is het dan niet vreemd dat hij haar daarover niet heeft geïnformeerd? Of zou hij ervan uitgaan dat ze het wel weet? Het is inmiddels meer dan een maand geleden dat zij die brief kreeg.
Jetty steunt haar kin in de kom van haar hand en kijkt naar buiten. De hemel is strakblauw. Vanaf het speelveld voor haar huis klinken kreten van kinderen. Op het kleine balkon naast het hare speelt haar kleine buurjongen in het opblaasbadje. Ze kan hem vanaf haar plekje net zien. Met zijn kleine handjes slaat hij op het water, zodat de druppels hem om de oren vliegen. Even later is hij druk bezig met vormpjes. Hij laat ze vol water lopen en gooit ze weer leeg.
Vanmorgen vroeg de buurvrouw of ze een kopje koffie kwam drinken. Die uitnodiging sloeg ze vriendelijk maar beslist af. Waarschijnlijk bedoelde de buurvrouw het goed, maar zij hield graag wat afstand. De vorige buurvrouw stak haar neus graag in haar zaken en daar was Jetty niet van gediend. Dit jonge ding was misschien heel

anders, maar daar wilde ze niet van uitgaan. Misschien kwam ze op den duur wel met het verzoek of ze wilde oppassen op dat peutertje van haar. Daar bedankte ze mooi voor. Op haar kleindochters past ze ook niet.
Voorzichtig plakt ze het artikel in haar knipselboek, keurig in het midden, keurig recht. Met haar hand wrijft ze de vouwen eruit, leest het artikel nog eens door. Misschien moet ze binnenkort toch maar eens bellen om af te spreken. Zouden Gwenn en Britt al zwemles hebben? Vera zal er vast geen problemen mee hebben als ze vraagt of ze die ook een keer mag bijwonen.
Ze blijft voor het raam zitten, hoewel het fraaie weer en de stoel op haar balkon uitnodigen om daar een poosje te genieten. Als die buurvrouw er maar niet zou zitten, dan wilde ze wel. Nu wil ze het risico uitsluiten dat ze een praatje zal beginnen. Daar heeft ze op dit moment helemaal geen behoefte aan.
Straks gaat ze een eindje wandelen in het park. Er zijn daar bankjes genoeg waarop ze een poosje in de zon kan zitten.
Buiten klinken de vrolijke kreten van haar buurjongetje. Buiten spelen kinderen op het veld. Buiten trekt een bus op, rijdt een niet-aflatende stroom auto's, een bromfiets knettert door de straat.
Buiten trekt het leven aan haar voorbij.

'Het is een goed artikel,' meent Marius. Tevreden neemt hij een hap van zijn broodje en werpt nogmaals een blik op de krant die tussen Vera en hem op de ontbijttafel ligt. 'Leuke foto ook.'
'Ik vind het jammer dat het niet op een prominentere plek geplaatst is.' Vera trekt het huis-aan-huisblad naar zich toe. 'Je leest er op deze manier makkelijk overheen.'
'Ik denk dat het wel meevalt. Tegenwoordig mag je al blij zijn als je publiciteit krijgt. Laten we er dus maar niet over klagen.'
'Dat ben ik ook niet van plan.' Vera belegt haar cracker met een flinterdun plakje kaas en schenkt zichzelf nog eens thee in. 'Voor ik het vergeet: gisteravond belde je tante Simone. Ik wilde het je toen al

vertellen, maar je was zo laat thuis dat ik maar naar bed ben gegaan. Ik heb niet eens gemerkt dat je in bed kwam.'
Hij negeert haar laatste opmerking. 'Laat me raden: ze wilde zo langs haar neus weg ook weten of ik al wat besloten had?' Het klinkt cynisch.
'Ze heeft er met geen woord over gerept. Je moet niet zo negatief over haar denken. Ik vond het een heel prettige middag toen we er laatst waren en ik heb echt het idee dat tante Simone blij is dat ze weer contact met een familielid heeft. Misschien moeten we haar binnenkort hier eens uitnodigen. Ze zal het leuk vinden om kennis te maken met onze twee meiden.'
'Dat lijkt mij nou helemaal geen goed plan. Ik wil niet meer bij haar op bezoek en ik zit ook helemaal niet te wachten op tante Simone bij ons thuis. Ik kom er niet aan toe om mijn moeder te bezoeken, dan moet ik niet ook nog verplichtingen jegens een zogenaamde tante erbij krijgen.'
'En toch vind ik dat je haar binnenkort je beslissing moet meedelen,' reageert Vera ernstig.
'Welke beslissing?'
'Je weet heel goed wat ik bedoel.'
'Ik begrijp niet waarom ze dat op mijn schouders heeft gelegd. Hoe jij het ervaren hebt, weet ik niet, maar ik heb het gevoel dat mijn dierbare tante zelf ook een aardig monumentje voor haar broer zou kunnen betalen.'
'Ze wil jou in de gelegenheid stellen om iets voor je vader te doen.'
'Waarom zou ik dat willen?' Marius lijkt oprecht verbaasd. 'Jarenlang heb ik taal noch teken van mijn vader vernomen en nu moet ik me geroepen voelen om hem een keurige grafsteen te bezorgen? Het is ook nogal geen gedoe om hem van een algemeen graf in een eigen graf te leggen.'
'Na wat je allemaal van tante Simone hebt gehoord, zou ik dat niet raar vinden. Er valt niets meer terug te draaien. Je zult er nooit meer met je vader over kunnen praten, maar op deze manier kun je toch

nog iets voor hem betekenen.'
'Die behoefte voel ik op geen enkele wijze,' houdt Marius vol. Hij kijkt op zijn horloge.
'Je hoeft nog niet weg,' zegt ze.
'Jawel, ik heb over drie kwartier een bespreking.' Hij staat op en kust haar op de kruin. 'Vanavond zal het niet zo laat worden. Hebben de meiden vanmiddag weer zwemles?'
'Zoals elke dinsdagmiddag. En zoals elke dinsdagmorgen, hebben ze ook deze morgen weer gevraagd of jij misschien wilt komen kijken hoe ver ze al gevorderd zijn.'
'Ik doe mijn best,' zegt hij. 'Dinsdag is altijd een lastige dag.'
'Het mag donderdagmiddag ook,' zegt ze onverstoorbaar. 'Dan vragen ze het ook voordat ze naar school gaan. Misschien is het goed als je weer wat tijd voor ze vrijmaakt. Ze zien je tegenwoordig 's avonds niet meer en 's morgens tijdens het ontbijt net zo min.'
'Als het 's avonds zo laat wordt, blijf ik 's morgens graag iets langer liggen,' verontschuldigt hij zich. 'Maar ik zal kijken wat ik kan doen.'
Hij fluit als hij even later de trap op loopt om in de badkamer zijn tanden te poetsen.

's Avonds fluit hij niet meer. Met vermoeide ogen staart hij naar zijn spiegelbeeld. Tweeënveertig jaar is hij nu. Hij knijpt zijn ogen samen en voelt zich minstens tien jaar ouder.
Vanuit de slaapkamer klinkt de opgewekte stem van Vera. 'De meiden waren dolenthousiast omdat je vanmiddag toch nog even bij hun zwemles kwam kijken. Het is zo belangrijk voor ze dat je af en toe wat belangstelling toont.'
Hij antwoordt niet. Soms is dat bij Vera ook helemaal niet nodig. Als ze op dreef is, ratelt ze maar door. Hoe had hij toch ooit kunnen denken dat ze een rustige vrouw is? Met zijn handen wrijft hij over zijn bonzende slapen.
Vera gaat over op een ander onderwerp. 'Weet je wie er vanmiddag belde?'

Hij schudt zijn hoofd. Ze ziet het niet, maar vervolgt toch: 'Je moeder...' Daarna volgt een veelzeggende stilte. Hij draait de koude kraan open en hoopt, tegen beter weten in, dat ze er nu het zwijgen toe zal doen, dat ze niet verder zal komen dan de mededeling dat zijn moeder heeft gebeld. Met zijn handen vangt hij het water op en maakt zo z'n gezicht nat.
'Ze wil graag komen!' Het volume van Vera's stem zwelt aan. Als ze zo doorgaat, zal de tweeling nog wakker worden. Dan kan hij zijn nachtrust wel helemaal vergeten, want die twee zullen niet eerder rusten dan dat ze tussen hen in liggen.
'Ik wist natuurlijk niet wat jij daarvan vond, maar ik vond het zo raar om haar te zeggen dat ik het eerst met jou wilde overleggen.'
Hij wil niet dat zijn moeder komt, nu niet, morgen niet, nooit.
'Ik vermoed dat ze over je vader wil praten. Zij zal toch ook weten dat hij is overleden?'
Waarom geeft Vera het nooit op als hij niet antwoordt? Hij kijkt nog eens naar zijn gezicht. Lijnen rond zijn mond en bij zijn ogen. Zijn haargrens wijkt steeds meer terug. Met zijn natte handen probeert hij tevergeefs nog wat volume in zijn kapsel te brengen. Het is stil geworden in de slaapkamer.
Hij kan het niet langer rekken, kijkt nog eens naar zijn gezicht, draait met zijn ogen en knipt dan het licht boven de wastafel uit. Vera ligt met gesloten ogen in bed, maar hij weet zeker dat ze niet slaapt.
Zachtjes gaat hij op de rand van het bed zitten en slaat het dekbed een eindje terug. Haar hand beweegt in zijn richting en streelt zijn blote rug.
'Ik heb gezegd dat ze zondagmiddag kan komen.' Nu dempt ze haar stem. Hij doet alsof hij haar niet hoort en kruipt onder het dekbed. Haar hand kruipt omhoog in de richting van zijn gezicht. Ze streelt zijn wang, zijn hals, zijn borst. Hij sluit zijn ogen. 'Je vindt het toch niet erg dat ik haar voor zondagmiddag heb uitgenodigd?' hoort hij haar vragen. 'Ze kan tussen de middag bij ons blijven eten als ze wil.'

Hij wil niet dat ze komt. Zondagmiddag niet en helemaal niet, maar hij is laf. Hij haalt zijn schouders op en blijft met gesloten ogen liggen.
'Misschien is het goed om er eindelijk eens over te praten.' Ze buigt zich een beetje naar hem over. Hij voelt haar adem over zijn wang strelen en huivert.
'Je hebt het koud,' constateert Vera en ze schuift nog dichter naar hem toe. 'Zondagmiddag komt je moeder dus, maar misschien moeten we nu even helemaal niet aan je moeder denken, en niet aan je vader, niet aan onze Emma, en zelfs niet aan onze prachtige dochters. Ik verlang naar je.'
Hij zou willen dat hij al zijn gedachten kon uitschakelen, maar ze drenzen maar door in zijn hoofd, dag en nacht, wekenlang.
Haar lippen glijden over zijn borst.
'Ik ben moe,' fluistert hij. 'Het spijt me...'
Abrupt stopt de liefkozende beweging. 'Dan niet,' zegt ze teleurgesteld. Ze kruipt onder het dekbed en draait zich van hem af. Als ze hem welterusten wenst, sijpelt de teleurstelling door in haar stem.

Als er iets is wat Vera graag doet om haar frustraties een halt toe te roepen, dan is het wel shoppen. Het liefst alleen.
Juist op die momenten is het heerlijk om winkel in en winkel uit te lopen, de nieuwste mode te passen, fraaie stoffen door haar handen te voelen glijden. Op de tassenafdeling van een warenhuis kan ze zich een hele poos vermaken met het openen van een tas, alle vakjes te bekijken en het leer bijna liefdevol te strelen. In een bijouteriezaak past ze colliers, houdt bijpassende hangers bij haar oren om in de spiegel een indruk te krijgen hoe die haar zullen staan.
Na afloop keert ze naar huis met tassen vol mode en accessoires en een aanzienlijk verbeterd humeur.
Deze morgen weet ze niet anders te doen dan de dag die weer zo eindeloos voor haar ligt, te veraangenamen met een bezoek aan het centrum van Zwartburg. Ze heeft Gwenn en Britt bij school afgele-

verd en wandelt op haar gemak naar de stad. Ondanks het vroege tijdstip straalt de dag al warmte uit. De eerste week van mei laat zich van z'n beste kant zien. Alle dagen zon en temperaturen ver boven de twintig graden. Ook nu is de hemel strakblauw. Vanmorgen heeft ze nog even getwijfeld of ze een jas aan moest trekken, maar ze is blij dat ze besloten heeft om dat niet te doen. De zon liefkoost met warme stralen haar blote armen.
De winkelstraat ademt de rust van een vroege morgen uit. Veel winkels zijn nog gesloten. Ze zou eerst een kop koffie in een lunchroom kunnen gebruiken, maar ze besluit om gewoon door de winkelstraat te slenteren en hier en daar een blik in een etalage te werpen. Er is al veel afgeprijsd. Voor een winkel met kinderkleding blijft ze extra lang staan.
De tweeling kan nog wel het een en ander gebruiken. Ze groeien momenteel als kool. Tot Gwenns verontwaardiging schiet Britt nog harder de lucht in dan zij. Marius en zij hebben hen van begin af aan als twee verschillende individuen behandeld en dat hield ook in dat ze verschillende kleding droegen. Haar schoonmoeder was het daar niet mee eens. Als ze al eens kwam, had ze meestal twee identieke stelletjes bij zich. Die droegen ze dan alleen als ze bij oma op bezoek gingen, en dat kwam niet vaak voor.
Aanstaande zondag moet ze nog maar eens kijken wat er op de stapel ligt dat de meiden van Marius' moeder hebben gekregen en zien of ze er nog in passen.
Vanmorgen voor het opstaan had Marius er weer niet over willen praten. 'Waarom heb je niet gezegd dat we al wisten dat haar ex is overleden?' verweet hij haar, toen ze erover begon.
'Ze had het helemaal niet over je vader,' zei ze. 'Bovendien ben ik daar niet de aangewezen persoon voor. Je had haar zelf kunnen bellen.'
De tweeling redde hem. Joelend sprongen ze op bed en ze smeekten bijna of hij ook kwam ontbijten. 'We hebben op school een nieuw liedje geleerd en dat willen we dan voor je zingen,' soebatte Britt.

Kreunend draaide Marius zich om, maar zijn dochters gaven het niet op. 'Het is een mooi liedje,' hield Gwenn vol. 'En we moeten het nu wel zingen, want anders ben je er nooit.'
Vera sloop stilletjes uit bed, nieuwsgierig of de tweeling Marius zou kunnen overreden.
Tot haar verbazing zat hij even later inderdaad in zijn badjas aan tafel en probeerde enthousiast te reageren toen Gwenn en Britt om het hardst en vol overgave zongen over de blouse van tante die in de wasserette wel vier maten was gekrompen. Nadat ze voor de vierde keer aan hetzelfde couplet waren begonnen, zong Marius zelfs mee.
Nu zingt het liedje in haar hoofd en ze glimlacht onwillekeurig. Ze loopt een zijstraat van de winkelpromenade in, die uitmondt in een winkelcentrum. Op de hoek woont Janita, boven een lunchroom, weet ze. Marius kende de eigenaar van de lunchroom en heeft via hem dit kleine appartement voor haar kunnen regelen. Laatst vertelde Janita nog dat ze het zo heerlijk vond om midden in het centrum te wonen. Janita is een vrolijke meid die wel van een beetje vertier houdt.
Als ze net de voordeur van de bovenwoning gepasseerd is, wordt die geopend. Automatisch kijkt ze achterom, en ze ziet Jacco naar buiten komen. Janita staat in de deuropening, ze zegt nog iets tegen hem, slaat haar armen om zijn nek en wil hem een kus geven. Op dat moment kijkt Jacco opzij.
Vera steekt haar hand op. Ze registreert duidelijk de schrik in Jacco's beweging als hij achteruit stapt en zich uit de armen van Janita losmaakt.
Aarzelend zwaait hij. Vera kijkt weer voor zich. Het grote warenhuis dat in het winkelcentrum gesitueerd is, heeft zijn deuren al geopend. Ze duwt de glazen deur open en als ze even later de eerste tas keurend in haar handen houdt, is ze Jacco alweer vergeten.

'Wat deed je nou achterlijk?' zegt Janita verwijtend. 'Mag Vera niet weten dat wij bij elkaar horen? Of is dat slecht voor je reputatie?'

'Het is goed als ze niet alles weet.'
'Ik begrijp niet dat het allemaal zo geheimzinnig moet,' pruilt ze.
'Het maakt voor onze gevoelens niets uit, en het is gewoon beter als niemand binnen het hotel weet dat we bij elkaar horen.' Jacco neemt haar gezicht tussen zijn handen. 'Later mag iedereen het weten, maar nu nog even niet.' Hij kust haar, laat haar dan ineens los en kijkt op zijn horloge. 'Ik moet nu echt gaan.'
'Je gaat haar toch niet achterna?' informeert Janita achterdochtig.
'Ik heb nog nooit mijn baas achterna gelopen.' Er krult een smalle glimlach rond zijn lippen. 'Hoewel...Vera is te weinig aanwezig om ook maar enig overwicht op het personeel te krijgen. Het is gewoon jammer dat ze niet meer met de zaak van haar man bezig is. Volgens mij heeft ze meer zakelijk inzicht dan hij en hij laat haar rustig tussen de luiers zitten.'
'Die kinderen zijn al vier, die dragen geen luiers meer.'
'Bij wijze van spreken, Janiet.' Hij zucht onwillekeurig.
'Zie ik je vanmiddag nog?' Ze doet weer een stap in zijn richting.
'Misschien,' houdt hij zich op de vlakte. Hij geeft haar een snelle kus op de wang en maakt zich dan uit de voeten. Janita's ogen steken in zijn rug. Hij waagt het niet om ook het warenhuis binnen te gaan.

Langzaam maar zeker ontwaakt de stad. Alle winkels hebben inmiddels hun deuren geopend. Vera heeft eindeloos op de tassenafdeling rondgedoold en uiteindelijk toch besloten dat ze nog voldoende tassen bezit. Nu loopt ze door de brede winkelstraat. Ze slaat de grote zaken over en kiest voor kleinere winkels met exclusieve kleding. Veel verkoopsters kennen haar en weten precies wat haar smaak is en welke modellen en kleuren haar het best staan. Zo heel vaak winkelt ze niet, maar juist vandaag vindt ze het heerlijk om heel even met andere dingen bezig te zijn, om alleen maar naar zichzelf in de spiegel te kijken en de enthousiaste opmerkingen van de verkoopsters te horen. 'Deze kleur flatteert u.' Of: 'Dit model kunt u

uitstekend hebben. U hebt zo'n prachtig figuur, zo slank nog, bijna meisjesachtig.'
Ze geniet van de aandacht, van de groeiende stapel luxe plastic tassen met fraaie opdruk die ze met zich mee zeult. Als laatste doet ze een kindermodewinkel aan. Ze kiest een paar leggings voor de meisjes uit, met daarop leuke geruite bloesjes voor Gwenn en lieflijke bloemenshirtjes voor Britt. Ze voelt zich beter dan ze zich de laatste tijd gevoeld heeft, stelt zich bij de kassa al voor hoe ze de tweeling zal verrassen. Met de verkoopster maakt ze een praatje over het prachtige weer en over vakantieplannen, die de verkoopster wel heeft en zij niet. Met een schuin oog kijkt ze naar het behoorlijke bedrag dat de vriendelijke vrouw aanslaat. Geroutineerd haalt ze even later haar pinpas door het apparaat.
Het gesprek stokt als het apparaat piept.
'Wat gebeurt er?' informeert Vera gealarmeerd.
'Het bedrag kan helaas niet afgeschreven worden.'
'De pas is toch goed. Ik heb 'm net nog gebruikt.'
De geruststellende glimlach van de verkoopster is in tegenspraak met haar mededeling: 'Er staat niet voldoende saldo op deze rekening.'
'Dat kan niet.' Vera voelt dat ze een kleur krijgt. Steels kijkt ze vanuit haar ooghoeken naar de andere klanten in de winkel. Ze dempt haar stem een beetje. 'Ik weet zeker dat er nog genoeg op staat.'
'Kennelijk niet.' De geruststellende glimlach verdwijnt. 'Hebt u misschien een ander betaalmiddel bij u?'
'M'n creditcard dan maar. Hè, wat vervelend. Dit moet echt op een misverstand berusten.'
'Dat denk ik ook.' De oudere vrouw heeft haar glimlach hervonden. Vera niet. Als ze door de winkelstraat loopt, is haar plezier er helemaal af. Slechtgehumeurd keert ze huiswaarts.

Haar goede humeur weigert die dag terug te komen en dat lukt al helemaal niet nadat ze via internet haar rekening heeft geïnspec-

teerd. Er zijn bedragen overgemaakt naar de rekening van Marius. Waarom heeft hij dat gedaan en wat is de reden dat hij haar daar niet van op de hoogte heeft gesteld?
Gwenn en Britt zijn dolgelukkig met hun kleren. Ze willen ze het liefst direct aan, maar ze vindt dat ze moeten wachten tot de volgende dag. Als ze blijven volhouden, valt ze tegen hen uit.
Mopperend trekken ze zich op hun kamers terug. De middag duurt eindeloos. Vera probeert Marius aan de telefoon te krijgen om hem om opheldering te vragen, maar hij is voortdurend in bespreking. Ze is blij als het eindelijk tijd is om te koken. Tijdens de maaltijd, die ze weer met hun drieën gebruiken, doet ze haar uiterste best om opgeruimd over te komen. Ze informeert naar gebeurtenissen bij de tweeling op school, belooft ze dat ze in de zomervakantie naar het Dolfinarium zullen gaan en misschien wel naar een pretpark. Als ze eindelijk in bed liggen, voelt ze zich doodmoe. Met een boek trekt ze zich op de bank terug, maar de inhoud van de roman, die inmiddels als bestseller wordt betiteld, weet haar aandacht niet te vangen.
Tegen elven hoort ze eindelijk Marius' auto het tuinpad op rijden. Door het raam ziet ze hoe de deur van de garage langzaam openschuift, om even later Marius met zijn slee binnen te laten. Terwijl hij binnenkomt, schenkt zij twee glazen port in. Ze kijkt met andere ogen naar hem als hij haar even later een kus geeft en vraagt hoe haar dag is verlopen. Eigenlijk wil ze er helemaal niet mee beginnen, maar de woorden ontglippen haar toch direct: 'Waarom heb je geld van mijn rekening opgenomen? En erger nog: waarom heb je daar met geen woord over gesproken? Vanmorgen stond ik behoorlijk voor gek toen ik wilde pinnen. Ik ben blijven volhouden dat het een misverstand moest zijn omdat ik gewoonweg niet geloofde dat er onvoldoende saldo op m'n rekening stond.'
'Het spijt me.' Hij is nog niet eens gaan zitten. Wat onhandig staat hij midden in de kamer, aarzelt tussen gaan zitten of blijven staan.
'Aan die spijt van jou heb ik niets. Voorlopig kan ik me niet meer in

De Kindertuin vertonen. Ik begrijp het niet. Ik begrijp er absoluut niets van.'
'Moest je je aankopen terugleggen?' Hij gaat nu toch zitten.
'Dat moest er nog bij komen. Ik heb ze betaald met mijn creditcard. Maar Marius, ik begrijp het niet. Dit is mijn rekening. Jij haalt er nooit geld vanaf. Als je dat vaker doet, moet ik steeds bang blijven voor dit soort taferelen als ik moet afrekenen.'
'Het gebeurt niet weer,' zegt hij bezwerend
'En waarom gebeurde het dit keer wel?'
'Ik had een paar financiële tegenvallers.'
'Maar die vul je dan toch niet aan met geld van mijn privérekening?'
'Ga toch niet zo tekeer. Het is gewoon een misverstand. Natuurlijk gaat dit helemaal niet van jouw rekening af. Aan het einde van de week wordt het teruggestort. M'n excuus dat ik verzuimd heb om het je te vertellen. Ik vind het heel vervelend dat ik je in die situatie heb gebracht.'
'Ik begrijp eigenlijk niet zo goed...'
'Laten we het over iets anders hebben,' zegt hij moe. 'Ik beloof je dat alles weer wordt rechtgezet.'
Hij tracht geruststellend te glimlachen, maar het lukt niet. Toch vraagt ze niet verder.

9

ALS JETTY DRINKWATER DIE ZONDAGMIDDAG HET PAD NAAR DE VOORdeur van hun huis op loopt, valt het Vera ineens op hoe oud en kwetsbaar ze lijkt. Ze ziet er veel ouder uit dan de achtenzestig jaren die ze telt. Marius zit achter de laptop en maakt geen aanstalten om op te staan. Hij reageert zelfs niet op de deurbel, alsof hij zich van de wereld afgesloten heeft. Vera ontvangt haar schoonmoeder hartelijk en probeert de zwijgzaamheid van Marius te compenseren. Hij heeft weliswaar de laptop uitgezet en zijn moeder begroet, maar van een onderhoudend gesprek is geen sprake. Gelukkig nemen Gwenn en Britt die taak geestdriftig over. 'Oma, we kunnen al hartstikke goed zwemmen. Komt u gauw kijken?' wil Gwenn van haar weten, en Britt vertelt dat ze zo'n lieve juf op school hebben en dat ze haar naam al kan schrijven.
Vera voorziet haar schoonmoeder van koffie. Ze ontdekt de onzekerheid in haar houding als haar schoonmoeder naar Marius kijkt, die in zichzelf gekeerd op de bank zit. Van een gesprek zal geen sprake zijn als het zo doorgaat. Met zachte dwang stuurt ze de tweeling naar hun kamer. 'Maak voor oma maar een schilderij. Het moet wel echt heel mooi worden zodat oma het in haar kamer kan hangen. Misschien kunnen jullie er met dat gekleurde papier wel een lijstje om fabriceren, dan lijkt het net echt.'
'Ik hou heel erg van rood,' helpt oma mee.
Waarschijnlijk zullen hun kunstzinnige uitspattingen ontaarden in een kliederpartij, maar voor het goede doel heeft Vera dat graag over.
'Zo, nu kan er gepraat worden,' zegt ze nadrukkelijk als de meisjes naar boven zijn gegaan.
'Ik vroeg me af... Misschien weten jullie het al?' begint haar schoonmoeder ongemakkelijk.
'Dat mijn vader niet meer leeft?' Marius lijkt ineens tot z'n positieven te komen. Zijn stem klinkt afgemeten. 'Ja, dat is al geen nieuws meer. Waarom kom je het ons nu pas vertellen?'

'Ik weet het ook nog niet zo lang... Ik kreeg bericht van z'n pensioenfonds.'
'Of heeft pa je uiteindelijk toch nog geld nagelaten?'
'Je weet toch dat ik nog een beetje pensioen kreeg? Dat is nu veranderd in nabestaandenpensioen.'
'Dat hij zelfs na zijn dood nog voor je zorgt,' zegt Marius cynisch.
'Marius, toe...' Vera heeft er een hekel aan als hij zo praat, maar hij negeert haar.
'Hij heeft nooit voor je gezorgd, toch? Hij dacht altijd alleen aan zichzelf. Van zijn eigen zoon moest hij ook niets hebben. Hij reisde alleen zijn eigen dromen na. Aan ons liet hij zich niets gelegen liggen. Dat is toch het verhaal dat je me altijd hebt verteld?'
'Waarom zeg je dat?' Jetty schuift onrustig in haar stoel. Ze steekt een lok, die uit haar opgestoken kapsel is ontsnapt, achter haar oor. Met haar handen veegt ze over haar donkerblauwe rok. Het is alsof ze altijd haar best doet om er zo onopvallend mogelijk uit te zien, of saai, zoals Marius dat betitelde.
'Ik ben bij tante Simone geweest,' zegt hij nadrukkelijk.
'Die is het niet waard dat je haar tante noemt,' valt zijn moeder uit. 'Je kent haar niet eens. Zij heeft zich al die jaren niet om je bekommerd. Hoe kom je erbij om naar haar toe te gaan? Tante Simone, het mocht wat.'
'Misschien kun jij me vertellen waarom we niet eerder hebben kennisgemaakt.' Marius oogt ineens ontspannen, terwijl zijn moeder steeds nerveuzer lijkt te worden.
'Dat is toch duidelijk? Ze kwam nooit. Die mooie tante Simone mocht me namelijk helemaal niet. Ze heeft hemel en aarde bewogen om haar broer van een huwelijk met mij af te houden.'
'Had hij maar geluisterd!'
Er valt een doodse stilte na de laatste, harde woorden van Marius. Vera ziet hoe haar schoonmoeder haar handen dichtknijpt, hoe ze geagiteerd met haar voet wiebelt.
'Het is gek hoe je als kind altijd je ogen sluit voor de waarheid,' gaat

Marius even later rustig verder. 'Dat ben ik blijven doen, hoewel ik steeds vaker het gevoel kreeg dat er dingen niet klopten. Je hebt me voorgehouden dat je geen familie had. Je hebt gewoon gelogen. Je wilde niet vertellen uit wat voor familie jij stamt, en hoe die familie er net zo goed alles aan heeft gedaan om jullie huwelijk tegen te houden. Je was de jongste thuis en je werd op en top verwend.'
'Dat zijn de woorden van tante Simone, zeker,' moppert zijn moeder. 'Die verweet me altijd dat ik een verwend kreng was.'
'Dat was je ook, en dat ben je nog steeds. Je doet er alles aan om maar aandacht te krijgen.'
'Nou, dat lukt me bij jou anders niet, want ik zie je haast nooit.'
'Als je er bent, zit je altijd te klagen en af te geven op m'n vader. Dat is ook een manier van aandacht vragen.'
'Ik heb alles voor je vader opgegeven. Mijn familie wilde niets meer van me weten toen ik toch doorzette.'
'Mijn vader was een kunstenaar! Dat wist je en dat trok je aan. Misschien wilde je je op die manier tegen je familie afzetten. Maar wat je eerst zo aantrekkelijk in hem vond, stond je later tegen. Hij moest aan jouw ideaalbeeld voldoen en je wist dat hij dat nooit zou kunnen. Je wilde financiële zekerheid, maar ook dat vond je bij hem niet. Je wilde hem in een keurslijf dwingen dat hem niet paste. Hij heeft het geprobeerd. Je kunt niet ontkennen dat hij het heeft geprobeerd. Daar dank jij nu ook nog je kleine beetje pensioen aan. Maar hij kon het niet, en toen hij je verliet, wilde hij er alles aan doen om toch zijn verantwoordelijkheden te nemen ten opzichte van jou en mij.'
'Ik heb nooit een cent van hem gezien.'
'Dat lieg je!'
Jetty Drinkwater klemt haar lippen op elkaar. 'Waarom zou ik daarover liegen?'
'De slachtofferrol ligt je goed. Daarom lieg je erover. Mijn vader heeft diverse keren geprobeerd om je kleding voor mij te zenden. Hij wilde je wel geld sturen, maar hij wist hoe jij met geld omging. Je

had het thuis niet geleerd. Daar was op financieel gebied alles mogelijk en die levensstandaard probeerde je aan te houden. Het grote verschil zat erin dat je niet zo veel geld had. Daarom stuurde mijn vader speelgoed en kleding, zodat jij niet het geld dat voor mij bestemd was, zelf zou gebruiken. Alle pakjes kwamen retour. Hij heeft je gesmeekt om ze aan te nemen, maar je hebt altijd geweigerd.'
'Wat hij stuurde, was meestal van slechte kwaliteit. En bovendien meende hij dat hij zich er op die manier van af kon maken. Ik had alle dagen de verantwoordelijkheid voor je. Als hij dan ooit eens tijd voor je had en je een paar dagen meenam, kon je bij thuiskomst over niets anders praten.'
'Je was nog jaloers ook,' trekt Marius bitter zijn conclusie.
'Dat had niets met jaloezie te maken,' verdedigt ze zich. 'Maar ik werkte keihard om jou een goede jeugd te geven.'
'Wil je die zin nog eens herhalen? Ik begrijp het niet goed.'
'Marius...' waarschuwt Vera hem. Zo vol bitterheid en woede kent ze hem niet.
Hij keurt haar geen blik waardig. 'Zei je nou werkelijk dat je keihard werkte om mij een goede jeugd te geven? Werkte je dan ook in de avonduren en in de weekends? Of zat je dan elders plezier te maken en te doen alsof je genoeg geld had? Daardoor bleef er voor mij niet veel meer over. Daarom moest ik op jouw oude kunstschaatsen naar de ijsbaan, kreeg ik tweedehands jassen en volgde ik een aangepast schoolprogramma terwijl de rest van de klas in Parijs of Londen zat!'
Jetty Drinkwater is bleek geworden.
Vera probeert de situatie te redden. 'Zal ik jullie iets inschenken?'
'Er wordt niets geschonken,' valt Marius haar direct in de rede. 'Laat me eindelijk eens vertellen wat ik ervan vind. Al die jaren ben ik loyaal geweest. Ik dacht dat mijn vader ons werkelijk zomaar in de steek had gelaten en ik probeerde te begrijpen dat je daarom in de avonduren en weekenden bij zogenaamde vrienden wilde zijn. Kun jij je voorstellen hoe eenzaam ik ben geweest?'
Zijn moeder staat op. Heel even wankelt ze, maar ze herstelt zich

snel. 'Tante Simone heeft je het verhaal op haar eigen manier verteld, hoor ik. Je wilt mij niet geloven. Ik kan nu praten wat ik wil, je zult me niet geloven.' Ze slaakt een diepe zucht. 'Ik hoop dat de tijd je wijsheid zal geven. Voorlopig kom ik hier niet terug, in ieder geval niet voordat ik ook mijn kant van het verhaal heb kunnen vertellen.'

'Daar heb jij je hele leven de tijd voor gehad,' reageert Marius bitter.

Vera houdt haar adem in. Ze zou iets willen doen, maar ze heeft geen idee wat ze op dit moment zou kunnen betekenen. Roerloos blijft ze zitten, terwijl haar schoonmoeder haar schouders recht. 'Het heeft geen zin,' hoort Vera haar zeggen. 'Je weigert toch naar me te luisteren.'

Met opgeheven hoofd loopt Jetty de deur uit.

'Waarom heb je mij er nooit iets over verteld?'

Het is een hele tijd stil geweest na het vertrek van Jetty Drinkwater. Marius is weer achter zijn laptop gaan zitten. Britt en Gwenn zijn naar beneden gekomen omdat ze papa hoorden schreeuwen. Hun teleurstelling was groot toen ze constateerden dat oma zomaar was vertrokken.

Het heeft Vera heel wat overredingskracht gekost om ze weer naar boven te krijgen. Daarna is ze weer in de kamer gaan zitten met een tijdschrift, niet wetend wat te doen. Moest ze iets zeggen?

Ze besloot om dat niet te doen, maar na verloop van tijd ging de stilte steeds zwaarder wegen. Marius zat achter zijn laptop, maar zijn handen lagen werkeloos op de tafel, zijn blik was naar buiten gericht. Hij leek heel ver van haar verwijderd.

Na verloop van tijd hield ze het niet meer uit en daarom moet ze nu die vraag stellen. Hij lijkt uit zijn overpeinzingen op te schrikken. Om zich een houding te geven, tuurt hij naar het beeldscherm; hij slaat een paar letters aan op het toetsenbord.

'Wat had ik je dan moeten vertellen?' vraagt hij. Ze is blij dat hij niet meer zo cynisch klinkt.

'Van je eenzaamheid, van die schaatsen en dat aangepaste schoolprogramma...'
'Had je graag medelijden met me willen hebben? Die arme man die nooit liefde heeft gekend? Ik zit niet op je medelijden te wachten.'
'Het gaat niet om medelijden, maar het is een onderdeel van je leven dat ik ook had willen leren kennen. Alles wat bij jou hoort, is voor mij de moeite waard.'
'Voor mij niet,' zegt hij heftig. 'Voor mij was deze fase van mijn leven niet de moeite waard. Ik wilde het vergeten. Mijn leven ziet er tegenwoordig heel anders uit. Alles wat ik in mijn jeugd heb gemist, vind ik binnen ons gezin. Zo moet het blijven. Ik heb het gemaakt. Mijn moeder vond mijn vader een absolute nul. Volgens haar kon hij helemaal niets tot een goed einde brengen en daarom stond ze bij voorbaat al niet achter zijn plannen. Zij was minstens zo schuldig aan het mislukken van hun huwelijk als hij. Zij wilde het leven terug dat ze had geleid voordat ze mijn vader ontmoette. Ze wilde net zo gemakkelijk met geld omgaan als ze altijd gewend was. Wat mijn vader verdiende, werkte zij binnen de kortste keren weg. Ze liegt als ze zegt dat ze later werkte om mij een goede jeugd te geven. Ze gaf me niets, hélemaal niets! Daar wil ik niet meer over praten, daar wil ik niet eens meer aan denken. Er is niets meer over van die eenzame jongen. Ik ben gelukkig met alles wat ik in het leven bereikt heb. Van mij zal mijn moeder nooit kunnen zeggen dat ik een nul ben en niets tot een goed einde weet te brengen. Ik ga het wel redden. Ik wel.'
Het is vreemd. Terwijl hij haar en zichzelf lijkt te willen overtuigen, ziet ze plotseling die eenzame jongen terug. Ze zou naar hem toe willen lopen, zijn hoofd tegen zich aan willen drukken en hem willen vertellen dat ze van hem houdt, dat ze altijd van hem zal blijven houden, wat er ook gebeurt. Iets in haar weerhoudt haar daarvan.

Nu is ze alles kwijt. Jetty loopt door de straten, die in zondagsrust zijn gehuld. Alles wat ze al die jaren zo krampachtig heeft getracht vast te houden, is haar nu tussen de vingers door geglipt. Haar zoon,

haar enig kind, haar trots, verwijt haar verregaand egoïsme. En dat alles dankzij de oudste zus van Edward.
Ze heeft een vieze smaak in haar mond. Uit haar tas diept ze een rolletje pepermunt op. Haar vingers beven als ze er een pepermuntje uit haalt en het in haar mond stopt. Het helpt niet tegen de vieze smaak. Waarom moest Simone nu ineens zogenaamd opkomen voor haar broer? Zo veel liet ze zich destijds niet aan hem gelegen liggen. Vanaf hun eerste ontmoeting hadden Simone en zij geweten dat ze nooit vriendinnen zouden worden. Waarom heeft ze nu pas contact met Marius gezocht? Ze had hem die brief toch ook tijdens het leven van Edward kunnen sturen als ze vond dat Marius een verkeerd beeld van zijn vader had gekregen? Een ander beeld had zij er niet van kunnen maken. Edward is nooit een vader voor hem geweest. Wat Marius haar verweet, gold in veel ergere mate voor zijn vader. Was het gek dat ze zijn pakjes weigerde? Vaak keek ze er niet eens in. Ze stuurde ze direct retour afzender. Was het zo verkeerd om te denken dat een vader zijn verantwoordelijkheden niet kon afkopen met prullaria en kleding van mindere kwaliteit?
En de keren dat ze zijn pakje wel had geopend, vond ze daadwerkelijk dat de kwaliteit van de kleding nergens op leek. Marius had het vast niet willen dragen. Was dat nou zo verkeerd? Had ze Marius op de hoogte moeten stellen van die veel te wijde broek en dat shirt uit die tweederangs winkel? Hij zou hebben gedacht dat zijn vader niet meer voor hem over had.
Edward zelf had er blijkbaar nooit naar gevraagd op de momenten dat hij Marius trof. Misschien zat hij dan toevallig weer midden in een van z'n befaamde creatieve processen. Op die momenten vergat hij alles. De kunstenaar... Het mocht wat.
Ze heeft het warm gekregen in het dikke vest dat ze draagt. De zon, die aan het begin van de middag weigerde zich te laten zien, heeft nu een gat in de bewolking geslagen. Even overweegt ze om het vest uit te doen en over haar arm heen te slaan, maar ze maakt alleen de knopen los. Een frisse bries streelt haar hals, maar ze voelt de lichte

aanraking niet. Haar hoofd is gevuld met toenemende verontwaardiging.

Het was oneerlijk. Zij had altijd de zorg voor haar zoon. Zij moest hem in de kleren steken. Zij kreeg buikpijn als er weer een rekening van school kwam voor zo'n buitenproportionele schoolreis. Edward had die verantwoordelijkheden niet. Hij kon de leuke vader spelen. Haar werd niet eens gegund dat ze afleiding zocht. Meer was het niet. Ze had er behoefte aan om regelmatig uit te gaan. Welke vrouw zou dat niet hebben als de verantwoordelijkheid voor een kind dag in, dag uit als een molensteen om haar hals hing? Zij had ook liefde nodig, net als ieder mens. Ze heeft het gezocht, maar het bleek niet meer voor haar weggelegd. Goede mannen waren schaars.

Opnieuw friemelt ze in haar tas op zoek naar de pepermuntjes.

Met dat uitgaan heeft ze Marius niets tekortgedaan. Het is onzin dat hij nu zegt dat hij toen eenzaam was. De pot verwijt de ketel dat hij zwart ziet. Ze heeft niet het idee dat hij veel bijdraagt aan de opvoeding van zijn dochters. Sterker nog, ze krijgt de indruk dat hij meer uren in zijn Hotel Emma doorbrengt dan thuis. Vera vangt veel voor Marius op, dat heeft ze allang in de gaten.

Haar zoon lijkt meer op Edward dan hij denkt. Daarom laat hij zich ook zo weinig aan haar gelegen liggen. Heeft ze daarvoor nu altijd zo hard gewerkt? Om al die verwijten over zich heen te krijgen?

Het pepermuntje knapt tussen haar tanden. Ze staat stil en trekt toch haar vest uit. Zonder dat ze het in de gaten had, is ze inmiddels in het winkelhart van de stad aangekomen. Donker kijken de etalages haar aan.

Ze is vroeger als een blok voor de artistieke Edward gevallen. Zijn kunstzinnige aspiraties spraken haar aan. Alles had ze voor hem over. Zelfs dat haar familie haar liet vallen. Destijds dacht ze nog dat de lucht wel weer zou klaren, maar tot op de dag van vandaag hebben ze het volgehouden. Dat heeft haar pijn gedaan. Na de scheiding van Edward heeft ze geprobeerd om contact te zoeken, maar het is nooit meer goed gekomen.

Simone verweet haar dat ze verwend was. Daar was vroeger sprake van, maar die tijd is al heel lang voorbij.
Ze heeft het allemaal voor Edward over gehad. Hij was het niet waard.
Is het gek dat ze hem toen wilde raken? Hij had haar wel heel veel afgenomen.
Een jong gezin komt haar tegemoet. De moeder loopt achter de kinderwagen, ernaast huppelt een klein meisje met blonde, springerige haren. Af en toe staat ze stil om iets te zeggen, alsof ze niet kan praten terwijl ze loopt. Jetty ziet hoe de vader haar ineens optilt en op zijn schouders zet. Het meisje gilt het uit van plezier.
De zon kruipt achter de wolken. Ze krijgt het koud en trekt haar vest weer aan.

Marius heeft nog een hele tijd stil achter zijn laptop gezeten, totdat hij het ineens niet meer in huis uithoudt. 'Ik ga nog even weg,' is alles wat hij zegt. Hij is ervan overtuigd dat Vera weet waar hij naartoe gaat. Ze zegt niets.
Gwenn houdt hem tegen als hij net de voordeur achter zich dicht wil trekken. 'Waar ga je heen, papa?'
'Ik moet nog even naar Emma.'
'Ik wil mee.' Ze posteert zich voor hem, schuift haar voet tussen de voordeur als een volleerd verkoper.
'Je kunt niet mee. Papa is zo weer terug.'
'Oma is ook al weg. Ik wil mee,' houdt ze aan.
'Je kunt niet mee.' Hij spreekt de woorden langzaam en nadrukkelijk uit en probeert haar voet tussen de deur weg te krijgen.
'Ik wil toch mee!'
Hij ziet nog net op tijd haar hand, die de deurpost omvat. Met een zucht doet hij de deur verder open en hij tilt haar op. 'Een andere keer mag je weer mee. Dan mag je lekker een poosje in het zwembad...'
'Nééhéé, ik wil nu!' Gwenn lijkt niet van plan zich over te geven.

Haar gezicht is rood van drift, haar vuisten trommelen op zijn borst. 'Ik wil nu!'
'Je hebt niets te willen!' De drift laait nu ook in hem op. Met een paar stappen loopt hij de gang in, zet haar daar neer en slaat even later de voordeur met een klap achter zich dicht. Als hij met z'n auto het pad af rijdt, ontdekt hij haar op de arm van Vera, die voor het raam staat en haar sussend lijkt toe te spreken. Zelfs op die afstand ziet hij hoe ze schokt van het snikken.
Hij zou willen dat hij nooit naar tante Simone was gegaan.
Het kalmeert hem om de geur van het hotel op te snuiven, om even bij de receptie te staan waar nieuwe gasten arriveren. Hij observeert hen als ze bij de receptie inchecken en wenst hen vervolgens een prettig verblijf. Een oudere dame helpt hij met haar koffer in de lift. Hij maakt grapjes met een klein jongetje dat stijf de hand van zijn moeder vasthoudt.
Daarna loopt hij naar de lunchroom, drinkt daar een kop koffie terwijl hij de gasten en de bediening in de gaten houdt. Langzaam maar zeker herstelt hij zich. In het Grand Café is sprake van een gezellige drukte, in La Vista heerst om deze tijd nog rust. In de keuken treft hij Jacco en de kok die vanavond de honneurs waarneemt. Ze zijn verwikkeld in een heftig meningsverschil. 'Meneer Dupeur graag,' hoort hij Jacco zeggen. Marius maakt zich geruisloos uit de voeten. Zijn hoofd staat nu even niet naar conflicten. Hij gaat terug naar het Grand Café, bestelt ook daar een kop koffie, die hij aan de bar opdrinkt. Hij maakt een praatje met het bedienend personeel, maar de onrust laat hem niet met rust.
Steeds weer duikt het rode, behuilde gezichtje van Gwenn voor hem op. Waarom was ze toch zo overstuur? Waarom wilde ze niet dat hij ging?
Langzaam drinkt hij zijn kopje leeg. Rondom hem zijn mensen in geanimeerde gesprekken verwikkeld. Niemand die acht op hem slaat. Het rode gezichtje van Gwenn maakt plaats voor een ander beeld. Hij ziet een kleine jongen die stampvoetend roept dat zijn

moeder niet weg mag gaan. 'Niet wéér!' schreeuwt hij.
De moeder kijkt kwaad als de jongen zich aan haar rok vasthoudt. Hij valt op de grond als ze zijn handen lostrekt. De deur valt met een klap in het slot. Haar voetstappen verwijderen zich, stilte blijft.
Te midden van alle mensen in het restaurant bevindt hij zich alleen in die stilte. Hij wil de beelden verjagen, maar ze overspoelen hem in grote golven. Er is nog niets veranderd, al meent hij van wel.
Hij heeft de eenzaamheid nooit af weten te schudden.

10

Mei is dit jaar veranderlijk. Na een weekend dat heel redelijk weer meebracht, is de wind gedraaid naar het noorden en het lukt de zon niet om door de wolken heen te breken. Janita huivert als de deur van het hotel geopend wordt en een windvlaag meeneemt. Ze heeft haar dienst erop zitten. In plaats van het pittige, donkerrode bloesje met Hotel Emma op de zak geborduurd en de bijbehorende Franse sloof, draagt ze nu een kort, felrood truitje op een strakke spijkerbroek. Haar donkere haren heeft ze vandaag in een Grace Kelly-rol opgestoken, waardoor haar gezicht iets klassieks krijgt. Ze heeft een praatje aangeknoopt met Annika, de receptioniste, kijkt af en toe op haar horloge en werpt een blik in de gang.

'Volgens mij hoor je niet eens wat ik je vertel,' grinnikt Annika. 'Wacht je op je geliefde?'

'Nou ja, geliefde...' Ze probeert het nonchalant te zeggen, maar de rode kleur op haar wangen verraadt haar.

'Hij is toch veel ouder dan jij?' waagt Annika het op te merken. 'Meneer Dupeur ziet er nog heel goed uit, maar hij loopt volgens mij toch wel tegen de veertig.'

'Zoiets,' zegt ze.

Annika aarzelt even. 'Je moet het me maar niet kwalijk nemen, maar ik vind het belachelijk dat we hem niet bij de voornaam mogen noemen. Bij Joris was dat nooit een probleem. Jij hebt Joris toch ook nog wel gekend?'

'Ik werkte hier een paar maanden toen hij wegging. In die tijd vond ik het een rommeltje. Je moet niet vergeten wat voor hotel dit is,' neemt Janita het voor Jacco op.

'Dat was het ook al in de tijd van Joris en toch mochten we normaal met onze leidinggevenden omgaan. Ik vind het echt belachelijk hoe het tegenwoordig gaat...'

'Het zou goed zijn als er wat minder geroddeld en gesmoesd werd,' valt Janita uit. 'Dat zou een stuk beter zijn voor de sfeer.'

‘Het is wel duidelijk dat liefde blind maakt,’ constateert Annika, om zich vervolgens tot een echtpaar te wenden dat zich bij de receptie meldt.
Vanuit de gang komt Vera de hal binnen. Het donkere mantelpak met het goudkleurige logo van Hotel Emma staat haar pittig. ‘Je dienst zit er weer op, zie ik. Hoe was het vandaag? Zijn er nog bijzonderheden te melden?’
Vera is wel de laatste op wie Janita heeft gewacht, maar ze probeert het niet te laten merken. ‘Het was prima,’ meldt ze. ‘Ik heb in het Grand Café gestaan. Gelukkig is het weer wat drukker. Vandaag heeft het de hele tijd zo’n beetje doorgelopen.’
‘Het seizoen speelt ons nu in de kaart,’ meent Vera. ‘Bovendien beginnen zowel ons hotel als ons restaurant steeds meer naamsbekendheid te krijgen. Ik hoop dat die stijgende lijn zich blijft voortzetten. Aan het personeel zal het niet liggen. Kijk eens, daar komt meneer Dupeur aan. Hij gaat ook van zijn welverdiende vrije tijd genieten.’ Nauw verholen spot klinkt in haar stem door als ze Jacco groet. Hij keurt haar nauwelijks een blik waardig, beantwoordt haar groet en loopt door.
‘Meneer Dupeur heeft blijkbaar haast,’ merkt Vera op. Ze lijkt de verwarring van Janita niet te zien. Ook zij kijkt nu op haar horloge. ‘Ik ga maar eens naar het restaurant. Er waren voor vanavond veel reserveringen, dus dat belooft wat.’
Het lijkt haar niet op te vallen dat Janita nauwelijks reageert. Met een ‘Geniet van je vrije avond!’ laat ze haar staan.

Janita heeft ongelooflijk de smoor in als ze over het parkeerterrein loopt. Ze heeft Annika straal genegeerd toen ze naar buiten liep, maar ze weet wel hoe er straks weer gekletst gaat worden. Belachelijk voelt ze zich. Totaal voor schut gezet door Jacco, voor wie ze het even daarvoor nog zo had opgenomen.
Wat denkt meneer Dupeur wel? Hij moet niet denken dat ze dit pikt. Haar woede neemt nog toe als ze hem vlak bij haar huis ont-

waart, met zijn armen om zijn lichaam geslagen in een poging de kille wind te weren.
Nu is het haar beurt om hem voorbij te lopen.
'Hé Janita!' Hij komt haar achterna. Ze doet alsof ze hem niet hoort, diept de huissleutel uit haar tas op en opent de deur. Vlak voor ze die met een snelle beweging kan sluiten, zet hij zijn schouder ertussen.
'Wat is dit voor onnozel gedoe?'
'En dat vraag jij? Wie denk je wel dat je bent? Moet ik misschien ook meneer Dupeur tegen je zeggen?'
Ze kan hem niet tegenhouden als hij de deur verder openduwt en haar voorbijloopt. In de kamer trekt hij zijn colbert uit, gooit die over een stoel en wringt met snelle gebaren zijn stropdas los. Hij loopt door naar de keuken, vult een glas met water en drinkt met grote slokken.
'Je voelt je hier kennelijk thuis,' zegt ze smalend. 'Laat Vera het maar niet zien.'
'Hou je bek!' Ze schrikt van zijn verwrongen gezicht, van zijn ogen die ineens donkergrijs lijken, van zijn harde handen rond haar bovenarmen. 'Ik heb het je steeds gezegd... Zeg me niet dat ik je niet gewaarschuwd heb voor we hieraan begonnen. Jij en ik hebben binnen onze werkomgeving niet meer dan een werkverhouding. Zo hebben we het afgesproken.'
Ze zoekt naar woorden.
'Nou? Het klopt toch wat ik zeg?' houdt hij aan.
'Je doet me pijn.'
'Ik wil antwoord.'
'Je bent niet eerlijk tegen me geweest. Je had me moeten zeggen wat Vera voor je heeft betekend. En ze weet het toch al van ons. Heeft ze je laatst niet gezien toen je hier vertrok?'
'Dat kon allerlei redenen hebben gehad en als ze ernaar vraagt, zal ik haar dat vertellen. Wat ik en Vera samen hadden, is overigens twintig jaar geleden. Je hoeft je daar echt geen zorgen meer over te maken.'
Langzaam verslapt zijn greep.

'Je moest jezelf eens zien als zij in de buurt is,' schampert ze. Ze weet zich helemaal los te maken.
'Dat neem je terug!'
Opnieuw schrikt ze van de felle blik in zijn ogen. Alsof hij een ander is, een man die ze niet kent en die haar angst aanjaagt. Toch slaat ze haar ogen niet neer. 'Je weet dat ik gelijk heb,' zegt ze rustig. 'Daarom ben je zo boos.'
'Ik ben niet boos.' Zijn woede lijkt net zo snel weg te zakken als deze gekomen is. 'Ik schrik van de dingen die je zegt. Ze zijn niet waar en ik wil niet dat die gedachten een eigen leven gaan leiden.'
'Vera staat tussen ons in. Ik denk dat je eens goed moet nadenken, want ik ben dit gedoe helemaal zat. Wat heb je voor ogen? Wat wil je?'
'Ik wil helemaal niets. Op dit moment wil ik alleen van dat kleinzielige gedoe van jou af!' Zijn woede vlamt weer op. 'We hebben afspraken gemaakt en daar houd ik me aan. Van jou verwacht ik hetzelfde. Buiten ons werk horen we bij elkaar, maar binnen de muren van Hotel Emma is er niet meer dan een werkverhouding. Dat houdt in dat ik je niet meer aandacht geef dan een ander, en als je dat niet kunt accepteren, dan...'
'Wat dan, Jacco?' Ze doet een stap naar voren en legt haar handen op zijn borst.
'Dan is het tussen ons voorbij...' Hij ademt zwaar. Onder haar handen beweegt zijn borstkas op en neer. Ze legt zo graag haar hoofd op zijn borst om zijn regelmatig kloppende hart te horen.
'Het is al lang voorbij tussen ons,' zegt ze zacht. 'Zonder dat ik het wist, was het voorbij toen jij bij de familie Goedhardt solliciteerde.'
'Goed, als jij het zo wilt.' Hij trekt zijn colbert weer aan, propt de stropdas in z'n zak. 'In het hotel zullen we elkaar steeds weer tegenkomen. Ik hoop op een volwassen houding.'
Ze antwoordt niet.
Nog even kijkt hij haar vragend aan. 'Dan niet,' is alles wat hij zegt. 'Ik kom later m'n spullen wel ophalen.'

'Weet je wat het is, Jacco?' Haar stem houdt hem tegen. 'Jij bent niet in staat om bij iemand te horen. Je durft je niet te geven. Nooit word je vertrouwelijk. Na al die tijd weet ik nog zo weinig van je. Hoe vaak heb ik niet naar je ouders gevraagd?' Haar stem klinkt hartstochtelijk. 'Ik wilde ze leren kennen omdat ze bij jou horen. Ik wilde alles van je weten, maar het is me nooit gelukt om door je pantser heen te breken. Weet je eigenlijk wel hoe vaak je me een bruiloft hebt beloofd? We zouden groots trouwen, en een andere keer wilde je weer in stilte. Ik had moeten weten dat je me alleen maar aan het lijntje wilde houden.'
Hij werpt een blik op haar waarvan ze schrikt. Ze kan niet eens navertellen wat ze erin leest: woede, minachting? Met een schouderophalen trekt hij de deur open.
Het verbaast Janita dat het schijnbaar zo eenvoudig is om iemands leven uit te lopen. Als de deur met een klap achter hem sluit, weet ze dat ze maar één ding wil: dat hij terugkomt.

'Het is al lang voorbij tussen ons...' Janita's woorden galmen door zijn hoofd. 'Zonder dat ik het wist, was het voorbij toen jij bij de familie Goedhardt solliciteerde.'
Hij heeft zijn handen opnieuw in zijn zakken gestoken. De temperaturen zijn bepaald onaangenaam, maar hij heeft geen zin om direct naar huis te lopen, waar alleen stilte op hem wacht. Het is beter om deel uit te maken van het leven op straat, van de mensen die allemaal op weg zijn naar iets of iemand.
Hij is niet op weg.
'Weet je wat het is, Jacco?' Waarom kan hij haar stem niet gewoon uitschakelen en de dingen die ze zei, vergeten? 'Jij bent niet in staat om bij iemand te horen...'
Woorden die hij vaker heeft gehoord, veel vaker.
Janita heeft gelijk, en al die anderen ook. Hoeveel relaties heeft hij al niet achter de rug? In feite waren ze allemaal al voorbij voordat ze daadwerkelijk begonnen. Hij werd niet vertrouwelijk, hij liet nie-

mand in zijn leven toe. Met Vera begon dat al.
Zijn maag rommelt, maar hij negeert het. Thuis heeft hij niets meer in de koelkast en hij heeft werkelijk geen zin om ergens in een restaurant te gaan zitten.
Vera zei hem een tijd geleden dat er op die laatste avond samen een ander in hem leek te zijn gekropen. Ze had niet in de gaten dat hij juist toen zichzelf was. Hij was jong en gewond, maar dat had Vera niet begrepen.
Later pas is Jacco geboren. Chris was niet meer. Chris was iemand anders, een jongen die zich liet kwetsen, een jongen vol eenzaamheid.
Vera verweet hem in dat wegrestaurant ook dat ze maar zo weinig van hem wist. Nee, hij gaf zich niet. Hij vertrouwde niemand, zelfs als ze beweerden van hem te houden.
Hij had geen enkele reden om iemand te vertrouwen.

Zijn moeder en hij waren een twee-eenheid. Zo had hij het altijd gevoeld. Zij samen tegen zijn vader. Ze konden niet tegen hem op als hij kwaad was. Ze konden zelfs niets beginnen, maar het gevoel van die verbondenheid bleef en ze namen het altijd voor elkaar op.
Er veranderde veel op de camping van zijn ouders. De uitbreidingen brachten een ander leven mee. Zijn moeder was vaak in het kleine kantoor te vinden. Daar kon ze hem niet langer verhalen vertellen. Ze zei ook dat hij daar te groot voor werd.
Hij moest van zijn vader zelf op de camping werken. Elke vakantie, elke vrije dag werd hij opgezadeld met klussen. Als hij klaagde, wees zijn vader hem erop dat het een investering voor zijn latere leven was. In die tijd probeerde hij wel pauze te houden bij zijn moeder in het kantoor als hij zijn vader elders op het terrein wist. Toen durfde hij zijn vader nog niet te zeggen dat hij er niets voor voelde om zijn opvolger te worden.
Op een dag veranderde er iets. Hij kwam het kantoor van zijn moeder binnen en op de plek waar hij normaal gesproken zijn koffie

dronk, zat nu een vertegenwoordiger in snacks te praten en te lachen met zijn moeder.
Hij kende de man. Hij mocht Pieter tegen hem zeggen.
Waarom hij van het begin af aan een hekel aan Pieter had, begreep hij zelf niet. Misschien lag het aan de manier waarop Pieter tegen hem praatte, alsof hij een kleine jongen was. Misschien lag het aan de manier waarop Pieter zijn dunne blonde haren over zijn schedel had gekamd, om daarmee zijn kaalheid te camoufleren. Misschien had het ermee te maken dat zijn moeder geen aandacht voor hem had als Pieter er was, en misschien vond hij het alleen al vreselijk dat Pieter uitgerekend elke keer op zijn stoel ging zitten.
Bovendien kwam zijn aanwezigheid iedere keer onverwacht. Pieter zette zijn auto ergens achteraan op het parkeerterrein. Het was geen opvallende auto, hoewel er met grote letters *Snacks van Kroon smaken buitengewoon* op stond. Soms lette hij erop, een enkele keer ontdekte hij de auto, maar meestal stond hij totaal onvoorbereid tegenover Pieter.
Uitgerekend zijn vader leek wel met hem op te kunnen schieten. Soms zat hij ook in het kantoor als Jacco binnenkwam voor een kop koffie. Als Pieter er niet zat, zei zijn vader altijd dat hij in de kantine een kop koffie kon gaan halen en dat hij niets te zoeken had in het kantoor. Als Pieter er wel zat, schoof hij zelf een stoel bij. Zo was zijn vader. Naar de buitenwereld toe altijd aardig en joviaal. Mensen mochten hem. Vrouwen beweerden dat hij altijd voor hen klaarstond. Hij maakte grapjes met de gasten op de camping, hing de joviale man uit.
Niemand zou Jacco geloven als hij vertelde over zijn andere kant.
Misschien had Jacco al die tijd al iets vermoed en het was goed mogelijk dat uiteindelijk juist dat de aanzet tot zijn antipathie voor Pieter was. Iemand was tussen de twee-eenheid van hem en zijn moeder gekomen. Hij bespeurde het vanaf het begin dat Pieter met zijn snacks aankwam. Soms verbeeldde hij zich dat het niet zo was en dat zijn moeder gewoon gelijk had toen ze zei dat hij te groot was

voor verhalen. Langzaam maar zeker sijpelde de waarheid binnen en op een dag betrapte hij hen: zijn moeder met Pieter.
Juist die dag kwam hij stilletjes binnen en ze gingen zo in elkaar op dat ze hem niet zagen. Jacco kan nu nog het gevoel oproepen dat hem toen bevangen had: een zware beklemming die het midden hield tussen angst en woede. Heel stil was hij naar buiten gelopen. Hij had geaarzeld. Toen riep hij zijn vader, die elders op het terrein aan het werk was. 'Je moet bij mama komen,' zei Jacco tegen zijn vader.
Onwillig wilde die weten wat de reden was.
'Ik weet het niet. Het ging om een verrassing. Je moet stilletjes binnenkomen.'
'Stilletjes? Waarom stilletjes?' mopperde zijn vader. 'Je wilt me toch niet vertellen dat ze een of ander beest heeft aangehaald? Als het een kat of een hond is, kan ze die meteen weer terugbrengen...'
'Ga nou maar, ga nou maar,' drong hij zenuwachtig aan. Hij volgde zijn vader, die met grote stappen richting kantoor beende, buitengewoon slechtgehumeurd omdat hij zijn werk moest onderbreken.
Op het moment dat zijn vader het kleine houten gebouw binnenliep, wist hij dat er geen weg meer terug was en voelde hij naast spijt een tomeloos verdriet.
Hij kon weglopen, maar hij bleef doodstil staan. Met grote ogen keek hij naar de ingang. De felrode deur stond uitnodigend open. Even was hij nog bang dat een van de campinggasten voor een boodschap naar binnen wilde, maar de nietsvermoedende vakantiegangers passeerden hem op weg naar het zwembad of naar hun auto op de parkeerplaats.
Hij had geen idee hoeveel tijd er verstreek voordat hij ineens Pieter naar buiten zag vluchten. Dat beeld is hem altijd bijgebleven, samen met dat gevoel van diepe minachting omdat Pieter zich liet verjagen en het niet voor zijn moeder opnam.
Hij wilde naar binnen. Hij wilde zijn moeder redden, maar zijn benen weigerden dienst. Verbeeldde hij het zich, of hoorde hij haar

huilen en schreeuwen?
Zijn wereld stond stil. Rondom hem ging het door. Kinderen die elkaar achternazaten. Volwassenen in luchtige kleding, pratend en lachend. De oude meneer die altijd een praatje met hem maakte, zweeg nu omdat Jacco zijn vriendelijke gezicht negeerde.
Na een tijd die eindeloos leek, kwam zijn vader toch naar buiten. Zijn gezicht was rood, met zijn hand wreef hij over zijn nog gebalde vuist.
Even was hij bang dat zijn vader het woord tot hem zou richten, maar zijn vader leek hem niet te zien en liep langs hem heen om verder te gaan met waar hij mee bezig was geweest. Alsof er niets gebeurd was.
Dat had Jacco gehoopt. Terwijl hij naar binnen liep, verbeeldde hij zich ineens dat zijn moeder gewoon achter haar bureau zou zitten, zoals altijd. Ze zou naar hem lachen en ze zou vragen of hij iets wilde drinken. Hij zou haar vertellen dat het warm was en haar vragen of hij ook even mocht zwemmen. De meeste klusjes die zijn vader hem 's morgens had opgedragen, had hij afgewerkt.
Vreemd, dat hij ineens echt geloofde dat er niets gebeurd was.
Dat duurde niet lang, want ze zat niet achter haar bureau. Ze zat in een hoekje op de grond en hield een zakdoek voor haar bloedende neus. Haar gezicht zag bont en blauw en hij zag aan haar bewegingen dat ze pijn leed.
Toch was het niet haar gehavende staat waarvan hij schrok. Het was haar blik. Toen hij in haar ogen keek, wist hij dat het nooit meer goed zou komen tussen zijn moeder en hem. Hun twee-eenheid was voorgoed verleden tijd.

11

Het visitekaartje van Hotel Emma heeft zijn glans verloren, staat er vetgedrukt boven het artikel, en daar vlak onder: *Restaurant La Vista kan de hooggespannen verwachtingen niet waar maken.*

Marius heeft het inmiddels drie keer gelezen, gooit de krant van zich af en kreunt. Waarom? Waarom laat Andreas ter Brugge zich zo negatief over zijn restaurant uit? Hij werkt keihard. Vrijwel dagelijks is hij in zijn zaak te vinden, van 's morgens tot 's nachts. Zijn kinderen zeuren omdat hij er nooit is, zijn vrouw klaagt, maar hij werkt omdat het koken veel meer dan zijn werk is. Het hele project Emma is voortgekomen uit zijn liefde voor het vak. Natuurlijk heeft het tijd nodig om een goed restaurant te beginnen. Die Ter Brugge weet ook dat daar minstens een jaar voor staat. Hoe komt het dat hij daar geen rekening mee houdt?

Dit had niet gemoeten. Juist dit kan hij niet gebruiken. En dan ook nog in de weekendeditie, waar iedereen uitgebreid de tijd voor neemt. Tot op heden waren de recensies over zijn restaurants altijd lovend, ook van deze recensent, voor wie iedereen in horecaland siddert.

'Restaurant La Vista kan de hooggespannen verwachtingen niet waarmaken,' herhaalt hij. 'We hebben het Ter Brugge in alles naar de zin proberen te maken. Wat verbeeldt die kerel zich wel...'

Hij voelt zijn woede oplaaien, hoort een korte klop op zijn deur, en voor hij iets heeft kunnen zeggen, staat Vera al in zijn kantoor. 'Heb je de recensie van die azijnpisser gelezen?' informeert ze. 'Ja, natuurlijk heb je die gelezen. Wat denkt die Andreas ter Brugge wel? Het is onzin dat de bediening die avond niet goed was. Jij weet dat net zo goed als ik. We hadden al snel door wie we in ons restaurant hadden zitten. Die man wilde van alles weten, deed moeilijk over elk gerecht. Later heeft hij me zelfs nog gecomplimenteerd.' Ze is rood aangelopen. 'Dit mag toch zomaar niet, dit... Dit is zo oneerlijk. Kunnen we hem niet aanklagen wegens smaad?'

'Andreas ter Brugge had zijn dag schijnbaar niet.' Somber staat Marius op en loopt naar het raam. 'Dit valt onder de vrijheid van meningsuiting in ons land. Andreas ter Brugge was bij de opening vol lof en vond dus schijnbaar dat hij het dit keer minder had getroffen.'
'Dat is niet waar, Marius. Ik weet pertinent zeker dat het niet klopt.'
'We hebben een paar nieuwe, jonge en veelbelovende koks in dienst. Ze kunnen af en toe een steekje laten vallen.'
'Zij wel, maar jij niet. Ik zie hoe jij ze altijd in de gaten houdt. Als er iets niet naar je zin is, moet het overnieuw.'
'Ik vind het lief van je, maar jij bent nu niet direct objectief.' Zijn handen rusten op de vensterbank. Beneden hem draait de wereld gewoon door. Er staat een rij auto's voor de splitsing te wachten. Een fietser wordt bijna aangereden en rijdt scheldend verder. De wereld draait door, maar de zijne staat stil. Dit had niet mogen gebeuren. Niet nu, terwijl de cijfers nog steeds niet hoopgevend zijn en Jacco elke morgen met een zorgelijk gezicht aan zijn bureau verschijnt.
'Ik zal misschien niet objectief zijn, maar ik weet wel wanneer een avond goed verloopt en wanneer het minder is,' houdt Vera vol.
'Dat is Andreas dan niet met je eens.'
'We komen hier wel overheen,' merkt Vera zachtjes op. Ze is naar hem toe gelopen en legt haar hand op zijn bovenarm. 'Onze gasten weten dat het eten hier altijd uitstekend is en de bediening zeer voorkomend.'
'Dat had dan op die avond ook zo moeten zijn.'
'Mijns inziens was alles in orde.'
'Maar Jacco was er die avond niet.' Marius draait zich om.
'Jacco was er die avond niet,' herhaalt ze. 'En zou dat wat uitgemaakt hebben?'
'Zelf zal hij dat in ieder geval wel zo zien.' Het klinkt bitter.
'Welnee,' neemt ze het voor Jacco op. 'Zo denkt hij helemaal niet. Laten we ons hier niet te druk over maken. We komen dit te boven. Ons hotel heeft genoeg naam om dit te boven te komen.'

Een slechte recensie is voor een kok een langzaam werkend gif, had Marius een tijd terug gelezen. *Gasten blijven weg en het heeft veel tijd nodig om er weer bovenop te komen.* In het desbetreffende artikel werd een restaurant aangehaald waarvan de eigenaar personeelsleden moest ontslaan na een zure beoordeling.
'We komen hier echt overheen,' zegt Vera troostend. Ze slaat haar armen om hem heen.
Hij zwijgt over het artikel.

'Pijnlijk,' zegt Jacco even later tegen Vera. Ze zit tegenover hem. Zijn kersenhouten bureau staat tussen hen in. Hij leunt voorover en kijkt haar indringend aan. 'Dit had niet mogen gebeuren en het treft ons allemaal. We moeten de hand in eigen boezem steken. Wat is er die avond misgegaan? Waar faalde de bediening?'
'De bediening faalde niet,' brengt Vera er opnieuw verontwaardigd tegen in. 'Ik heb er de hele avond gelopen. We hadden al snel in de gaten wat hij kwam doen en we hebben allemaal ons uiterste best gedaan om het hem naar de zin te maken.'
'Blijkbaar niet genoeg, Vera.' Jacco kijkt haar koeltjes aan. 'Als er fouten zijn gemaakt, moeten we daar lering uit trekken.'
Ze kijkt hem even verbluft aan, alsof ze niet gelooft wat hij zegt.
'Of denk je dat jij geen fouten kunt maken?' gaat hij verder. 'Je kunt dan wel zeggen dat de bediening niet faalde, maar meneer Ter Brugge heeft dat blijkbaar anders ervaren.'
'Als ik fouten maak, kom ik daar eerlijk voor uit.'
'Je luistert niet goed naar me.' Jacco verheft zijn stem.
Met grote ogen staart ze hem aan. Inwendig beeft ze van verontwaardiging. 'Wie denk je wel dat je bent?' weet ze dan uit te brengen.
'Ik ben Jacco Dupeur en alles wat ik heb bereikt, heb ik aan mezelf te danken. Ik heb keihard gewerkt en daar ben ik trots op. Ik weet waarover ik praat, ik ben meer betrokken bij deze zaak dan jij als vrouw van.' Er krult een cynisch lachje rond zijn mondhoeken. Hij

buigt zich nog iets verder naar voren. 'En je kunt dan wel de vrouw van Marius Goedhardt zijn, maar dat wil niet zeggen dat je je functie als gastvrouw altijd goed uitoefent...'
'Wat bezielt je?'
'Ik doe gewoon m'n werk,' houdt hij vol. 'Of denk je dat ik voor jou een uitzondering maak omdat we in vroeger tijden samen iets hebben gehad?'
Ze hapt naar adem. 'Wat heeft dat er nu mee te maken? Wil je dat ik Marius vertel dat ik op m'n zestiende de fout maakte om met jou aan te pappen? Wil je dan misschien ook dat ik hem vertel hoe je bij Garage Blink bent vertrokken?'
'Waarom dreig je daarmee, Veertje? Je weet toch net zo goed als ik dat het daarvoor te laat is? Dat had je moeten doen tijdens de sollicitatieprocedure. Dat had je moeten meenemen in je afwegingen of je me wel of niet als general manager wilde aannemen. Je maakte de fout dat je emoties met je aan de haal gingen. Marius zal het niet begrijpen als hij het hoort. Het zal hem achterdochtig maken. Hoe komt het dat je hem nooit iets over ons gezamenlijke verleden hebt verteld? Waarom heb je tijdens de sollicitatieprocedure je mond gehouden?'
Ze is bleek geworden. 'Noem me geen Veertje,' zegt ze ingehouden. 'Noem me nooit meer Veertje...'
'Vera Goedhardt.' Zijn stem klinkt sarcastisch, zijn blik is hard. 'Heb jij ooit geweten dat liefde en haat zo dicht bij elkaar liggen?'
Haar hart bonkt met zware, angstige slagen. Ze voelt zich ineens weer het meisje van zestien. Ze herkent die harde blik en ineens wil ze hier weg om die ogen te ontwijken. Waarom heeft ze toch niets tegen Marius gezegd? Waarom wilde ze juist Jacco aannemen als general manager? Er was nog een goede kandidaat. Waarom heeft ze die punt achter het verleden niet laten staan? Of heeft ze er na al die jaren nog geen punt achter gezet?
Zonder een woord te zeggen, staat ze op.
'Had je het maar geweten...' hoort ze hem zeggen. 'Dan had je ervoor

gezorgd dat ik hier niet aangenomen werd.'
Ze perst haar lippen op elkaar. Het lukt haar om de deur van zijn kamer beheerst achter zich dicht te trekken.

In de spiegel van de toiletten bekijkt ze haar bleke gezicht, waarin het lichtblauw van haar ogen donkerder lijkt. Door diep in en uit te ademen, tracht ze haar rust te hervinden. Haar hand ligt tegen haar borst alsof ze zo haar bonkende hart tot rust kan manen.
'Veertje...' Jacco noemde haar vroeger altijd Veertje. Niemand kon dat zo liefdevol zeggen als hij. Ze vond het heerlijk als hij haar zo noemde, tot die laatste avond.
Ze sluit haar ogen, maar verjaagt daarmee de beelden niet. Het is alsof ze zelfs de bedompte geur van die schuur weer ruikt.
'Kom op, Veertje. Doe niet zo kinderachtig.' Dat had Jacco tegen haar gezegd en op dat moment was de liefde uit zijn stem verdwenen. Ze herinnert zich nog de angst die ineens in haar opwelde. Het is dezelfde angst die ze net voor hem voelde.
Nooit heeft ze deze ervaring met iemand gedeeld. Misschien dat ze daarom nooit een punt achter de hele geschiedenis heeft kunnen zetten. En nu is het te laat.

'Begint het nu eindelijk tot je door te dringen?' Nog geen kwartier later zit Jacco tegenover Marius. 'Er moet iets gebeuren voordat het hier helemaal verkeerd gaat. Je kunt wel denken dat jouw zaak op de goede naam kan teren, maar dat blijkt niet zo te zijn, getuige de recensie van Andreas ter Brugge. Je hebt een naam hoog te houden, plus vijf sterren, en dat alles heeft nu een flinke deuk opgelopen.'
'Het is toch belachelijk dat er in dit land van alles over je geschreven kan worden en dat mensen dat dan ook nog voor waar aannemen.'
Marius steunt zijn hoofd in zijn handen. Hij is moe, zijn hoofd voelt zwaar en pijnlijk.
Voor het eerst wil hij hier niet zijn.

'Het is goed dat dit in ons land mogelijk is,' wijst Jacco hem hardvochtig terecht. 'Het drukt je met de neus op de feiten. Er moet hier iets veranderen, en snel ook. Geef me toestemming om de contracten stuk voor stuk te bekijken. Ik weet dat sommige binnenkort aflopen. Daar zullen contracten bij zijn van mensen zonder wie we het hier best kunnen stellen. Die contracten moeten niet verlengd worden.'
Marius staat met zijn rug tegen de muur. 'Doe wat er gebeuren moet,' zegt hij mat.
'Ik zal het je allemaal laten weten als ik klaar ben,' meldt Jacco genereus. 'Ik wil je ook graag attenderen op personen die ik als bijzonder capabel wil betitelen.'
'Zoals?'
Jacco doet alsof hij nadenkt. 'Die jongedame die hier nog niet zo heel lang werkt... even denken... Janita...'
'En wat wil je met haar?'
'We hebben Vera als gastvrouw, maar ik denk dat Janita het ook heel goed zal doen.'
'Als Vera niet werkt, heeft Yasmijn dienst.'
'Haar contract loopt op z'n eind.' Het klinkt kort en zakelijk.
'Janita heeft toch geen afgeronde horecaopleiding?' probeert hij er nog tegen in te brengen.
'Janita heeft daarentegen veel ervaring en de juiste instelling.'
'Doe wat er gebeuren moet,' zegt hij nog eens. Het ontbreekt hem aan vechtlust.

De recensie dreunt na. Er is spoedoverleg geweest waarbij Jacco heeft gehamerd op de fouten die er zijn gemaakt en de consequenties die dat onvermijdelijk voor het personeel zal hebben. Vera zat er zwijgend bij. Marius merkte af en toe iets op, maar tegenover Jacco leek hij plotseling minder competent.
Toen ze opstond, leek het net alsof er iets veranderd was. De warme sfeer in hun bedrijf die er altijd was en waar ze zo trots op was,

was nu bedrukt. De juiste woorden kon ze er niet voor vinden. Het was een gevoel.
Tegenover Marius liet ze zich er niet over uit. Aan het einde van de vergadering probeerde hij strijdlustig te klinken. Hij meldde dat Hotel Emma zijn glans niet zou verliezen. Hij had het over zure woorden die niet in staat zouden blijken om dit prachtige hotel en restaurant te schaden. Zijn stem klonk vast, maar zij hoorde zijn onzekerheid. Hij bedankte het personeel voor hun inzet en vroeg begrip voor de soms harde maatregelen die nodig zouden zijn.
Het viel haar op dat het personeel nu niet instemmend knikte, zoals ze even daarvoor bij Jacco wel hadden gedaan. Op sommige gezichten zag ze spot, alsof ze Marius niet serieus namen. Het respect dat zijn personeel altijd voor hem aan de dag legde, leek nu ineens alleen voor zijn general manager te zijn. Ze kreeg het benauwd.

's Avonds lijkt in La Vista alles als vanouds. Er zijn geen reserveringen geannuleerd. Gasten genieten en niemand heeft het over Andreas ter Brugge. Yasmijn is er als gastvrouw. Janita zit in de bediening en loopt met gemengde gevoelens rond. Ze twijfelt over haar ontslagbrief. Na al die jaren met Jacco lijkt het haar onvoorstelbaar dat ze niet meer samen zullen zijn. Deze paar dagen zonder hem zijn al zo moeilijk geweest.
'Janita?' Het onderwerp van haar gedachten duikt achter haar op. 'Je ziet er fantastisch uit,' fluistert hij in haar oor. 'Je bent de roos van dit hotel. Als die recensent vanavond weer zou komen, zouden er alleen lovende woorden in de krant staan.'
Ongemakkelijk kijkt Janita om zich heen. Vera is in geen velden of wegen te bekennen. De gasten lijken allemaal tevreden en hebben haar even niet nodig. 'Wat wil je van me?' informeert ze achterdochtig.
'Ik wil met je praten. Zowel persoonlijk als zakelijk.'
'Er valt niets meer te praten. Ik heb al een sollicitatiebrief verstuurd. Het lijkt me beter dat onze wegen scheiden.'

'Dat vind ik nou zo geweldig van jou.' Waarderend neemt hij haar op. Bij niemand staat de bedrijfskleding zo mooi als juist bij Janita met haar slanke figuur. Ze heeft haar donkere haren weer opgestoken. Her en der pieken wat plukjes langs haar wangen. Bij thuiskomst trekt ze meestal direct de spelden uit haar kapsel, waardoor haar haren lang en glanzend over haar rug vallen. Hij houdt van dat moment.
Zijn blik glijdt van het restaurant naar de keuken. Marius geeft een van de jonge koks een uitbrander. Hij oogt gespannen. Jacco's hand glijdt heel even over Janita's blote arm naar beneden. Hij ziet een rilling door haar heen gaan en glimlacht. 'Jij durft beslissingen te nemen. Jij wacht niet af, maar doet gewoon wat er gedaan moet worden. In dit geval wil ik je vragen om nog heel even te wachten met definitieve stappen. Je bent hier heel hard nodig. Op dit moment vooral bij tafel vijftien, want daar valt momenteel iets te wensen.'
Even moet zijn opmerking tot haar doordringen, maar dan is ze al onderweg. In haar rug prikken de ogen van Jacco. Het zou verstandig zijn om zich nu niet over te laten halen, maar voet bij stuk te houden. Haar hart verlangt naar hem, maar hij zal haar weer gebruiken. Nu heeft hij haar nodig, straks laat hij haar weer vallen. Vriendelijk informeert ze bij de gasten wat ze wensen.
Ze weet nu al dat haar hart zal zegevieren.

Aan het einde van de avond probeert ze het toch. 'Ik ga niet met jou mee naar huis en ik nodig je evenmin uit om bij mij iets te komen drinken,' kondigt ze aan. Een beetje nerveus wacht ze op zijn reactie. Hij kan soms zo sarcastisch uit de hoek komen.
'Ik begrijp het,' antwoordt hij nu tot haar verrassing. 'Het valt je alleen maar te prijzen dat je de nodige terughoudendheid in acht neemt. Waar wil je dan heen?'
'Café De Stadsbrug is nog wel open op dit tijdstip.'
Heel even kijkt hij haar aan, dan stemt hij met een spottend lachje

in. 'Ik vrees dat ik er niet helemaal op gekleed ben, maar dat zullen ze me daar wel vergeven.'
Een halfuur later ontdekt ze dat Jacco er inderdaad uit springt in het moderne designcafé met de donkergroene wanden. Net als zij, zijn de meeste gasten in spijkerbroek gekleed. Op de een of andere manier vervult het haar met trots dat zij hier vanavond arriveert met een man van de wereld. Ze moet om hem lachen als hij zijn stropdas af doet zodra ze samen aan een tafeltje zitten. Zijn colbert hangt een kwartier later over de rugleuning van de stoel. Hij heeft de mouwen van zijn overhemd opgerold, waardoor een kleine tatoeage van een anker zichtbaar wordt. Ooit heeft hij haar verteld dat hij het heeft laten zetten toen hij tijdelijk in Portugal verbleef. Ze is nooit te weten gekomen wat hij daar heeft gedaan.
Ontspannen strijkt hij met z'n hand door zijn haar en nipt tevreden aan zijn pilsje.
Peinzend kijkt ze naar hem. Er is wat schuim op zijn bovenlip achtergebleven, dat hij ongegeneerd met zijn tong wegwerkt. Er lijken verschillende Jacco's te zijn. De Jacco van het werk, afstandelijk en zakelijk, en de Jacco van dit moment die zich op zijn gemak voelt in dit trendy café. Maar welke Jacco ze ook ziet, hij blijft met een waas van geheimzinnigheid omgeven. Ze is niet in staat om door die waas heen te breken en te ontdekken wie hij echt is. Nog nooit heeft ze het gevoel gehad dat ze werkelijk tot hem kon doordringen en misschien maakt juist dat hem wel extra begerenswaardig.
Hij is een heel stuk ouder dan zij, maar nu hij ontspannen tegenover haar zit, is hij alleen maar onweerstaanbaar aantrekkelijk. Er wordt binnen het hotel over hen geroddeld. Collega's zijn jaloers. Jacco denkt dat hun relatie geheim kan blijven. Zij weet dat daar al lang geen sprake meer van is. Daardoor is ze in aanzien gestegen.
Boven het glas twinkelen zijn ogen. 'Ik meende het vanavond echt, Janita. Je bent een prachtige vrouw, een sieraad voor ons restaurant. Jij had er die avond moeten zijn toen Andreas ter Brugge kwam eten. Vera is een leuke vrouw om te zien, maar in vergelijking met jou

is ze doorsnee. Bovendien straal jij veel meer uit. Als jij er bent, voelen gasten zich op hun gemak, dat merk ik altijd weer. Je bent veel opener dan Vera.'
'Ik ben van de bediening en geen gastvrouw,' helpt ze hem herinneren.
'En je moet eens weten hoe jammer ik dat vind. Je zou het prima doen als gastvrouw.'
'Je zit gewoon te slijmen.' Ze neemt een klein slokje van haar rosé.
'Nee, daar is geen sprake van,' reageert hij stellig. Hij zet z'n bier neer en leunt naar haar over. 'Ik heb meer dan eens gedacht dat jij geknipt zou zijn voor die functie. Vera is voorkomend naar de gasten toe, maar je merkt altijd iets van terughoudendheid. Als er problemen zijn, weet ze die niet correct op te lossen. Natuurlijk heeft ze verkeerd op die recensent gereageerd toen die in het restaurant at. Ze had er zelf op moeten toezien dat zijn gerechten op tijd voor hem stonden. Het had nooit mogen voorkomen dat zijn hoofdgerecht al lauw was. Ik weet zeker dat jij het beter had gedaan en zo niet, dan zou jouw charme het voor de zure Andreas een stuk minder erg hebben gemaakt.'
'Het zal allemaal wel, maar ik heb hier natuurlijk niets aan.'
Als hij lacht, verschijnen er rimpeltjes rond zijn ogen. 'En dan heb ik het nog niet over Yasmijn gehad. Geen gast voelt zich thuis als zij dienst heeft.'
'Yasmijn is aardig.'
'Maar ze verstaat haar vak niet.' Hij leunt voorover. 'Haar contract loopt binnenkort af.'
'Dat kun je verlengen.' Spanning kruipt naar haar keel. Wat wil Jacco haar nu vertellen?
'Ik verleng alleen contracten van mensen die ik geschikt acht. Yasmijn is niet geschikt voor haar vak. Er is binnenkort een vacature die opgevuld moet worden.'
'Ik heb geen...'
'Ervaring en bekwaamheid zijn voor mij belangrijker. Ik heb het al

met Marius besproken. Hij staat erachter. Als die vacature vacant komt, solliciteer jij.'
Als ze nu verstandig is, legt ze zijn woorden naast zich neer, bedankt hem en gaat er vandoor. Maar ze vraagt: 'En dan?'
'Dan is ons restaurant een uitstekende gastvrouw rijker.'
'Ik weet het niet.' Aan zijn blik kan ze zien dat hij weet dat ze voor de vorm tegenstribbelt. Ze heeft haar besluit al lang genomen.
'Je kent het bedrijf door en door.' Hij speelt het spel nog even mee. 'Ik heb je net uitgelegd dat je het prima doet. Je mag wel iets meer zelfvertrouwen hebben.' Peinzend neemt hij haar op. 'Het valt me meer dan eens op dat Vera iets op je aan te merken heeft, maar heel vaak is het niet terecht. Vrijwel altijd gebeurt dat op momenten dat ze zelf tekortgeschoten is.'
'Soms begrijp ik je niet, Jacco...' Janita heeft haar glas leeg. 'Wekenlang heb ik gedacht dat je heel erg op Vera gesteld was. Ik vroeg me af of het vuur na twintig jaar weer was opgelaaid. Ik dacht echt dat je indruk op haar wilde maken en daarom met de zweep achter het personeel aan rent.'
'Met de zweep... Kom op, Janita.'
'Niet letterlijk natuurlijk, maar de sfeer binnen het bedrijf is wel heel erg veranderd sinds jij er de leiding hebt.'
'Dat was noodzakelijk,' verweert hij zich. 'Veel personeelsleden hadden het idee dat het een rustoord was. Er moet veel veranderen. We kunnen nog heel wat bezuinigen op de huishoudelijke en technische dienst. Marius zal eens over zijn ingrediënten na moeten denken. De inkoop kan namelijk veel efficiënter. Deze maatregelen zullen me niet geliefd maken, maar ze zijn hard nodig.'
Ze ziet aan zijn gezicht dat haar opmerking hem geraakt heeft.
'Nou ja, daar gaat het ook niet om,' zegt ze luchtig.
'Dus je gaat akkoord?'
Ze knikt.
'Mooi.' Jacco drinkt zijn glas leeg. 'Je hoort van me wanneer je kunt solliciteren.' Hij staat op. 'Misschien is het te vroeg om ook op het

persoonlijke vlak tegen je te zeggen dat ik je nodig heb. Ik wil je nog even de tijd gunnen.' Hij kust haar zachtjes op haar voorhoofd. 'Dag geweldige vrouw, slaap maar lekker straks.'
Als ze hem ziet weglopen, realiseert ze zich dat ze het zich zo niet had voorgesteld.

12

Dit keer heeft Jetty Drinkwater het artikel over restaurant La Vista niet uitgeknipt. Met samengeknepen lippen heeft ze het gelezen. Het schokte haar om zo'n negatief verhaal over het restaurant van haar zoon te vinden. Onrechtvaardig is het.
Tegelijkertijd komen er andere gedachten in haar op: nu weet hij eens hoe het is om onderuitgehaald te worden. Het is hem altijd voor de wind gegaan, nu leert hij wat tegenslag is. Ze schaamt zich ervoor en probeert de gedachten het zwijgen op te leggen.
Voordat ze het weekblad onder in de krantenbak wegstopte, kon ze het niet laten om het artikel nog eens te lezen, en opnieuw wond ze zich erover op.
Het blijft de hele week in haar hoofd nazeuren. In de supermarkt wordt ze erover aangesproken door een buurvrouw. In de lunchroom waar ze regelmatig een kopje koffie drinkt, informeert de serveerster of zo'n recensie nu ook echt invloed heeft op de bezoekersaantallen. Die vraag blijft haar bezighouden. Zouden mensen zich er daadwerkelijk iets van aantrekken?
Ze zou het willen vragen, maar sinds haar vervelend verlopen bezoek heeft ze niets meer van haar zoon gehoord. Zij zal de eerste stap niet zetten. Marius heeft zich schandalig gedragen. Hij moet zijn excuses aanbieden.
Buiten schijnt de zon. De buurvrouw zit weer op haar balkon. Zou dat mens nou niets anders te doen hebben? Zij had helemaal geen tijd om van een mooie dag te genieten toen Marius nog zo klein was. Wat zou ze de tweeling toch graag weer willen zien. De laatste keer stuurde Vera hen al snel naar boven en die tekeningen die ze voor haar zouden maken, heeft ze nooit gekregen. Ze is oma. In ieder geval in naam. Verder heeft ze dat gevoel nooit gehad. Als de tweeling jarig is, ziet ze ook duidelijk het verschil tussen het grootouderschap van Vera's ouders en haar omaschap. Gwenn en Britt zijn veel meer vertrouwd met opa en oma Van Duijvenbode dan met haar. Ze

probeert het meestal te negeren, maar het doet meer pijn dan ze zichzelf wil toegeven. Zo heeft ze zich het leven niet voorgesteld, en dat gevoel is eigenlijk al begonnen nadat haar ouders zich van haar afkeerden toen ze verliefd werd op Edward.
Het ergste is dat ze gewoon gelijk hadden toen ze haar voorhielden dat Edward niet geschikt voor haar was. Haar leven is één grote teleurstelling.
Buiten lonkt de zon. Binnen hangt alleen eenzaamheid, die ze ineens besluit te ontvluchten.
Er staat een groepje buurvrouwen voor de flat te praten. Lijkt het zo, of houden ze ineens hun mond als zij langskomt? Ze probeert het van zich af te laten glijden, passeert hen met opgeheven hoofd. De natuur is de eerste dagen van juni uitbundig aan het vieren. Het groen is nu nog fris, al glijdt het voorjaar langzaam maar zeker naar de zomer toe. Ze zuigt de wereld in zich op, maar kan niet voorkomen dat de eenzaamheid haar blijft aankleven.

In Jacco's kantoor lukt het de zon niet om binnen te komen. Bij de eerste zonnestralen dalen de rode markiezen. Hij heeft geen erg in het weer. Zijn blik is strak op het beeldscherm van zijn computer gericht. *Eekhoorn, camping, afscheid.* Steeds verzint hij nieuwe steekwoorden om meer te ontdekken over zijn ouders en hun verblijfplaats. Het brengt hem allemaal niets verder. Zijn vader heeft vast nog niets met computers en internet, en hun afscheid schijnt geruisloos voorbij te zijn gegaan. Wel vindt hij informatie over het echtpaar dat het park heeft overgenomen en dat flink wil moderniseren, 'omdat de tijd op veel gebieden toch lijkt te hebben stilgestaan', zoals de nieuwe eigenaar het voorzichtig uitdrukt.
Terwijl hij zoekt, draaien zijn gedachten rond de vraag wat hij wil als hij hun verblijfplaats heeft gevonden. Wil hij gewoon zijn moeder zien? Of wil hij zijn vader vertellen hoe goed het met hem gaat?
Even blijven zijn handen werkeloos boven het toetsenbord hangen. Hij zou zijn vader recht in de ogen willen kijken en hem zeggen dat

hij, ondanks alles, goed terecht is gekomen. Hij heeft een topfunctie in de horeca. Dacht zijn vader dat hij het nooit verder dan schoonmaker zou schoppen? Hij is echt iemand geworden: general manager bij een gerenommeerd hotel. Hij heeft het op eigen kracht gered door hard te werken. Misschien moet hij zijn vader daar wel dankbaar voor zijn. Rusten was voor oude mensen, hield zijn vader hem voor. Als je iets wilde bereiken, moest er hard gewerkt worden. Dat doet hij nu nog. Voor hem geen werkdagen van acht tot vijf. Als hij nodig is binnen dit bedrijf, dan is hij er desnoods zeven dagen per week. Daarbij maakt hij vaker dagen van twaalf uur dan van acht uur. Zo is hij verder gekomen. Zo is hij iemand geworden die aanzien geniet. Vrouwen vallen voor hem en dat is meer dan zijn vader kan zeggen. Hij herinnert zich nog hoe de bezoeksters op de camping keken naar zijn vader die zich graag in een smerige, wijde broek hulde als hij aan het werk was. Hij straalde nooit uit dat hij het op de camping voor het zeggen had.

Aan hem ziet iedereen wie er in dit hotel de baas is. Zijn vader heeft nooit dure maatpakken gehad. Zijn vader droeg geen zijden overhemden. Zijn vader hoefde 's morgens niet uit te zoeken welke stropdas hij die dag wilde dragen.

Jacco sluit het scherm en leunt achterover. Hij weet nu al dat die zaken geen enkele indruk op zijn vader zullen maken. En waarom blijft hij toch doorgaan? Zou dat het kind in hem zijn? Het kind dat gezien wil worden en geliefd wil zijn door zijn vader? Het kind dat verlangt naar erkenning?

Een kort melodietje vertelt hem dat hij een sms'je binnenkrijgt. Hij ontdekt de naam van Janita in zijn scherm. *Wanneer spreken we weer af?* Het ontlokt hem een glimlach. Hij heeft Janita terug.

Nu Vera nog.

Het lijkt hem een onmogelijkheid, maar er heeft veel vaker in zijn leven iets onmogelijk geleken. Hij wil niet de Vera die hem welwillend, vriendschappelijk behandeld. De vrouw die meent dat ze zijn baas is en in hem niet meer dan een werknemer wil zien.

Hij wil de Vera van vroeger terug. Het meisje dat naar hem opkeek, dat ontzag voor hem had. De vrouw die kijkt zoals Janita naar hem kijkt. De vrouw die hij kan maken en breken. Hij wil haar pijn doen omdat ze afstand bewaart en hij weet zelf niet waarom. Als hij anderen pijn doet, lijkt dat zijn eigen pijn te verminderen. De pijn van afwijzing, van Vera die hem vertelde dat Marius de liefde van haar leven is. De pijn die hem is bijgebleven omdat zijn vader hem nooit wilde accepteren, en uiteindelijk zijn diepste pijn, die begon op de dag toen zijn moeder naar hem keek met lege ogen. Daarmee verwierp ze hem, daarmee vertelde ze hem dat het nooit meer zou worden zoals het tussen hem en zijn moeder geweest was. Ze had het allemaal aan zichzelf te wijten. Zij had Pieter in haar leven toegelaten en hem daarmee buitenspel gezet. Op het moment dat Pieter zijn stoel innam, was het al voorbij geweest. Het was allemaal haar eigen schuld.

Hij staat op, grijpt zijn papieren bij elkaar. Werken leidt hem af. Als hij met andere dingen bezig is, hoeft hij niet te denken of te voelen. Nu moet hij eerst naar Marius om hem te confronteren met de cijfers van de afgelopen week. Die zijn opnieuw niet rooskleurig. Marius kan zijn ogen niet langer sluiten. De verse ingrediënten die Marius uit de buurt betrekt, maken blijkbaar niet genoeg indruk, want de bezoekers stromen nog steeds niet massaal toe. Er moet in de keuken echt bezuinigd worden op de inkoop.

Jacco realiseert zich dat hij als keihard wordt gezien. Hij weet dat hij dat niet is, niet van nature in ieder geval. Vrouwen als zijn moeder en Vera hebben hem zo gemaakt. Hij noemt hun namen in gedachten vrijwel altijd in één adem, alsof die twee vrouwen één zijn geworden.

Als hij vlak bij het kantoor van Marius is, gaat zijn mobiele telefoon. Annika vraagt of hij wil komen.

'Kan dat wachten tot straks?' informeert hij.

'Nee, ik heb je direct nodig.' Haar stem klinkt bezorgd. Hij besluit rechtsomkeert te maken. Bij de receptie lijkt niets anders dan anders.

Annika legt een groepje gewichtige mannen uit waar ze zich moeten vervoegen voor de conferentie die ze willen bezoeken. Hij hoort hoe professioneel ze reageert op een grapje van een van hen. Aan niets is te merken dat ze reden tot bezorgdheid heeft. Hij gaat rustig op een stoel achter de receptie zitten en wacht tot ze klaar is. 'Een kwartier geleden stond hier een jong stel voor de balie dat wilde inchecken,' vertelt ze enigszins gejaagd. 'Ik kan je niet precies uitleggen hoe het kwam, maar het meisje viel me op. Misschien kwam het doordat ze nog zo jong leek, maar ook door de manier waarop ze stond, alsof ze bang was en het liefst hard weg zou willen lopen.'
Jacco trekt zijn wenkbrauwen op. 'Je had het idee dat ze niet vrijwillig met hem mee ging?'
'Absoluut. Een meisje dat met de liefde van haar leven een paar dagen in een hotel gaat zitten, ziet er zo niet uit.'
'Hoe lang wilden ze blijven?'
'Ze hebben voor één nacht geboekt.' Annika haalt diep adem. 'Omdat ik het niet helemaal vertrouwde, heb ik de naam binnen ons bestand gecheckt. Daaruit bleek dat de betreffende jongeman eerder bij ons is geweest en toen niet heeft betaald.'
'Dat gaat dus niet weer gebeuren. Bedankt dat je zo alert reageert, ik ga er direct werk van maken. Welke kamer heb je ze gegeven?'
'Kamer zestien. Misschien moet u contact opnemen met meneer Van Diemen van de politie. Die hamert er altijd op dat we niet op eigen houtje te werk moeten gaan.'
'Ik red het prima zonder meneer Van Diemen,' gromt hij, en voordat Annika nog iets kan zeggen, is hij al onderweg. Adrenaline zindert door zijn lichaam als hij de lift naar boven neemt. Cijfers lichten op in het display boven de deur. Op de zesde verdieping verlaat hij de lift. Zijn voetstappen worden gedempt in de donkerrode vloerbedekking. Als hij voor het nummer staat dat Annika hem genoemd heeft, ademt hij diep in en uit. Lijkt het maar zo, of hoort hij het meisje huilen? Zijn vingers tasten naar de loper in de binnenzak van zijn colbert. Hij klopt op de deur.

Het wordt heel stil in de kamer. Alleen zijn eigen hart hoort hij nu duidelijk bonzen, zijn hand klemt zich vaster om de loper. Nerveus trekt hij aan zijn stropdas. Voetstappen komen in de richting van de deur, die even later met een ruk wordt opengetrokken. 'Wat wil je?' Hij staat oog in oog met een jongeman, een jongen nog bijna. Om zijn nek hangt een gouden ketting met een hanger in de vorm van het sterrenbeeld Tweelingen. Het leren jasje dat hij draagt, straalt exclusiviteit uit. Zijn donkere krullen liggen kinderlijk rond zijn smalle gezicht, maar zijn ogen stralen een hardheid uit die hem doet huiveren.

'Nou?' wil de jongen weten als Jacco niet snel genoeg reageert.

Hij probeert een blik in de kamer te werpen, maar de smalle kier biedt hem geen mogelijkheid. 'Ik wil dat je dit hotel onmiddellijk verlaat.' Jacco richt zijn blik nu vast op de jongeman, maar die lijkt niet onder de indruk.

'En waarom zou ik dat doen?'

'Omdat er nog een rekening van de vorige keer openstaat.' Hij haalt diep adem. 'Bovendien wil ik graag even met dat meisje praten dat je bij je hebt.'

'Man, wat is dat nu voor stom gedoe?' Verontwaardigd doet de jongeman een stap opzij. 'Wat wil je met mijn meisje?'

'Ik wil weten of ze hier vrijwillig is.'

'Natuurlijk is ze hier vrijwillig, wat dacht je dan? Ik wil dat je me nu met rust laat. Ik laat me door een aap in een mooi pakkie toch niet de les lezen...'

Een rode waas trekt voor Jacco's ogen. Hij is de baas in dit hotel. Hij is niet langer het jongetje van de camping dat naar hartenlust gepest kon worden.

'En ik laat me dat niet zeggen,' fulmineert hij terwijl hij een onverwachte ruk aan het leren jasje geeft. 'Eruit! Ik sta erop dat je nu vertrekt en dan wil ik je hier nooit meer zien!'

Vanuit de kamer hoort hij nu het meisje gillen, maar wat ze gilt, dringt niet tot hem door. Pas als hij een felle pijn door zijn arm voelt

schieten, ziet hij het mes dat blinkt in het licht van de fraai gestileerde ganglampen.
'Eruit!' herhaalt hij. 'Of moet ik je eruit schoppen?'
Voor hem uit vlucht de man nu naar de trappen. 'En jij blijft hier,' bijt Jacco het meisje toe. 'Er komt zo iemand bij je.'
Hij rent achter de man aan, hoort in het trappenhuis de voetstappen ver onder hem en voordat hij bij de receptie is, rent de man al de parkeerplaats over. 'Zo, die komt nooit meer terug,' zegt hij tevreden tegen Annika. Hij ontdekt nu ook Vera, die bevreemd naar hem kijkt. 'Het meisje is nog boven. Iemand moet naar het meisje toe...'
Zijn mond vervormt de woorden. Ineens voelt hij de pijn weer, heet en snerpend, en zonder erbij na te denken legt hij zijn hand op de plek, voelt een kleverige substantie en ontdekt dat zijn colbert helemaal onder bloed zit.
'Dat meisje...' herhaalt hij, voor hij op de grond in elkaar zakt.

Marius is laat vanmorgen. Hij heeft zich gehaast, wetende dat Jacco waarschijnlijk al in zijn kantoor staat met de uitdraai die hem opnieuw duidelijk moet maken dat zijn droom op instorten staat. Het is net alsof sinds Jacco's komst alles in zijn bedrijf verkeerd gaat. Natuurlijk is het onzin om Jacco daar de schuld van te geven. Hij doet zijn uiterste best om niet op die manier naar zijn general manager te kijken, maar toen Joris nog de scepter zwaaide, leek zijn leven veel eenvoudiger en succesvoller. Hij betrapt zich nu op een gevoel van tegenzin als hij de auto parkeert. Wanneer hij in de richting van de ingang kijkt, verbaast hij zich over een jongeman die over het parkeerterrein rent. Geïnteresseerd blijft hij even kijken, maar als de man in een glanzende bolide gaat zitten en dan met een noodvaart het parkeerterrein af rijdt, begint hij ineens haast te krijgen. Snel sluit hij zijn auto af en loopt naar de ingang. Later weet hij niet meer wat hem nu het meeste raakte toen hij de hal binnenkwam: zijn general manager die in een colbert vol bloed lijkbleek op de grond lag, of zijn vrouw, die zich over Jacco heen boog met een beweging

die hij niet anders dan liefdevol kan noemen. Als aan de grond genageld blijft hij staan en beziet het schouwspel. De manier waarop Vera haar hand op Jacco's voorhoofd legt en zacht tegen hem praat, brandt zich in zijn netvlies. Terwijl hij het tafereel tot zich door laat dringen, lijken er puzzelstukjes op hun plaats te vallen. Hij weet dat hij nu iets moet zeggen, dat hij moet handelen, maar er daalt iets zwaars op hem neer dat hem belet ook maar iets te doen.
Annika is aan de telefoon en hij begrijpt dat ze de politie aan de lijn heeft. Haar wangen zijn rood van agitatie terwijl ze een aantal vragen beantwoordt. Langzaam loopt de hal vol, alsof het nieuws als een lopend vuurtje door het gebouw is gegaan. Buiten klinkt het geluid van een sirene. Als de ziekenbroeders even later met een brancard de hal binnenkomen, gaat Jacco net rechtop zitten en probeert duidelijk te maken dat hij ze niet nodig heeft. Mensen praten door elkaar heen. Hij ziet wijkagent Charles van Diemen binnenkomen, rustig als altijd. Eindelijk voelt hij zich in staat om deel te nemen aan de gebeurtenissen. Hij staat erbij als de ziekenbroeders tot de conclusie komen dat ze Jacco voor onderzoek mee willen nemen naar het ziekenhuis. Hij hoort Van Diemen tegen Jacco zeggen dat het onverantwoord is wat hij heeft uitgehaald. Opgewonden mensen praten met elkaar in de hal en op dat moment openen zich de deuren van de lift. Hij ziet het niet. Niemand heeft het in de gaten. Een smal, jong meisje wringt zich langs de mensen heen en verdwijnt onopvallend naar buiten.

Een uur later lijkt de rust wat weergekeerd. Charles van Diemen zit achter de koffie in de lunchroom, Vera drinkt water. Marius wil niets drinken. Hoofdpijn klopt achter zijn slapen. Steeds als hij naar Vera kijkt, ziet hij weer hoe ze met haar hand over het voorhoofd van Jacco streelde. Met diezelfde hand houdt ze nu haar glas water vast. Het is dezelfde hand die hem ook zo vaak geliefkoosd heeft.
'Ik hoop niet dat jullie general manager vaker dit soort stunts gaat uithalen,' hoort hij Van Diemen tegen Vera zeggen.

'Hij moest snel handelen.' Ze neemt het voor hem op terwijl iedereen weet dat wat hij heeft gedaan, het stomste is wat een mens kan doen. Nu is het nog goed afgelopen, maar dat mes had ook op een andere plaats terecht kunnen komen. Marius zou het uit willen schreeuwen, maar hij moet zich inhouden voor Van Diemen en de gasten, die allemaal nog over het gebeurde zitten na te praten.

Opgelucht ziet hij de wijkagent een halfuur later eindelijk vertrekken met de belofte dat hij toch nog eens een hartig woordje met meneer Dupeur zal spreken als hij weer terug is.

'Ik denk dat Jacco al heel snel weer aan het werk gaat,' merkt Vera op als Charles is vertrokken.

'O ja, waarom denk je dat?'

Ze heeft haar hand op tafel gelegd. Zijn ring glinstert aan haar ringvinger en juist met die hand heeft ze Jacco's voorhoofd gestreeld. Dat beeld blijft hem achtervolgen.

'Het leek allemaal ernstiger dan het was.' Ze zegt het heel onschuldig. Hij vraagt zich af of ze niet liever met Jacco mee naar het ziekenhuis was gegaan.

'Het is heel onverantwoordelijk wat hij heeft gedaan,' zegt hij met nauw verholen woede.

'Hij deed wat hij moest doen.'

'Zie jij dat zo? Ik denk dat hij Van Diemen had moeten bellen en dat denkt Van Diemen zelf ook. Het had veel erger kunnen aflopen. Bovendien was er dan voor dat meisje gezorgd. Nu is ze verdwenen voordat iemand van ons er erg in had. Volgens Van Diemen is de kans groot dat ze zo weer bij die jongen terug is.'

'Dat kun je Jacco niet aanrekenen.' Ze kijkt hem oplettend aan. 'Marius, wat is er met jou aan de hand?'

'Ik ben geschokt.'

'Dat zijn we toch allemaal, lieverd.' Ze staat op, legt haar hand op zijn schouder. De hand die even daarvoor op Jacco's hoofd heeft gerust. Nu kijkt ze hem bezorgd aan. 'Het is een rare wereld aan het worden. Een wereld waarin sommige mannen jonge vrouwen zien als gebruiksvoorwerpen en er niet voor terugdeinzen om iemand met een mes aan te vallen. Dat is verontrustend, maar probeer het vandaag positief te zien: het is goed afgelopen. Misschien moet Jacco in het vervolg wat minder op eigen houtje opereren, maar hij wilde snel handelen om het meisje zo vlug mogelijk te ontzetten. Dat is alleen maar in hem te prijzen.'

Hij zou haar voor de voeten willen werpen wat hij heeft gezien, maar plotseling lijkt het een overspannen gedachte die ze zeker met een meewarig glimlachje van de hand zal wijzen.

'Ik zal hem straks op z'n mobiele telefoon proberen te bellen,' herstelt hij zich. 'Als Jacco naar huis mag, zal hij opgehaald moeten worden.'

'Dat kan ik wel doen.'

'Nee, ik vraag Wim van de technische dienst. Hij kan zo even met de dienstwagen langs het ziekenhuis rijden.'

Hij verwacht dat ze zal protesteren, maar ze haalt haar schouders op. 'Ook goed.' Met haar hand streelt ze zijn haren en ze kust hem op zijn kruin. 'Maak je vandaag niet te druk, lief. Het is nu eenmaal zo gelopen en daar kan niemand meer iets aan veranderen.'

Ze glimlacht. Ze praat net zo tegen hem als altijd. Misschien ziet hij spoken.

Diezelfde middag loopt Jacco weer door het gebouw alsof er niets gebeurd is. Van Diemen komt langs. Samen voeren ze een ernstig gesprek over veiligheid en het zo veel mogelijk beperken van risico's. Na bijna een uur en drie koppen koffie vertrekt Van Diemen weer. De verstandhouding met Jacco is sterk verbeterd. En ook onder het personeel is meneer Dupeur zeer in aanzien gestegen.

Voor Jetty Drinkwater is internet de manier om haar sociale contacten te onderhouden. Van Marius heeft ze een laptop gekregen, die door hem zelf was afgeschreven maar voor haar nog goed genoeg is.

Langzaam maar zeker heeft ze de digitale snelweg leren kennen. Ze heeft online leren klaverjassen, ze leest nieuws en achtergronden uit diverse kranten, ventileert haar mening over actuele zaken op een fatsoenlijke manier via een weblog en zoekt wekelijks naar beoordelingen over Hotel Emma in Zwartburg. Over het algemeen beleeft ze aan dat laatste veel plezier. Gasten zijn lovend over de sfeer in het hotel, over de kamers, over het eten in La Vista, maar ook over het Grand Café en de gezellige lunchroom. De bediening wordt als vriendelijk ervaren, zelfs de schoonmaaksters worden geprezen. Het is een dubbel gevoel. Ze voelt zich trots als ze de verhalen leest, en tegelijkertijd steekt haar die lof. Tegenover zijn gasten schijnt Marius wel de vriendelijke man uit te hangen: meer dan eens valt zijn naam op positieve wijze in de verhalen. Tegenover haar vindt hij dat blijkbaar niet nodig.
Maar als ze op deze avond naar de verschillende sites surft, schrikt ze omdat de teneur van de recensies ineens veranderd lijkt. Er is geen sprake van dat er heel negatief over Hotel Emma wordt gedaan, maar er komen wel meer klachten naar voren, zowel over het hotel als over het Grand Café en La Vista. Iemand beklaagt zich over het arrogante personeel, maar vindt het eten verder prima. Op een andere site wordt aangegeven dat de jacuzzi in een van de fraaiste hotelkamers kapot was en dat dit niet voldoende is gecompenseerd. Een volgende site geeft een mevrouw het woord die last had van het 'stadslawaai'. Peinzend herleest ze de verschillende recensies. Niet één is overwegend negatief, maar de waardering is wel een stuk omlaag gegaan.
Ergens onder in haar beeld springt een naam omhoog met het verzoek of ze wil klaverjassen. Ze klikt de verschillende sites weg en probeert zich even later te verliezen in het spel, maar de onrust blijft in haar nagonzen.
's Nachts ligt ze er nog over te tobben. Het klaverjassen wilde niet echt lukken. Haar partner was teleurgesteld afgehaakt. Ze had zich verdedigd en gezegd dat ze haar avond niet had.

Waarom hielden die mindere recensies haar zo bezig? Zo slecht waren ze niet, al waren de gemiddelde cijfers gekelderd van achten en negens naar zessen en zevens. Ook nu vraagt ze zich af hoeveel invloed zo'n recensie heeft. Zou zij een bezoek aan een restaurant laten afhangen van de mening van mensen op zo'n site? Ze gaat eigenlijk nooit meer naar een restaurant, maar als ze zou gaan?
Misschien als ze voor een bepaalde gelegenheid een restaurant zocht en verschillende met elkaar zou vergelijken. Bij heel slechte recensies zou ze afhaken, maar bij zo'n verhaal waarbij het ene wat minder is en de rest goed? In gedachten probeert ze zich de namen voor de geest te halen van de afzenders van de berichten. Het ging om verschillende namen, van een schuilnaam als 'bordenwasser' tot de naam Mathilde. Is het mogelijk dat die berichten toch van dezelfde afzender komen? Iemand die goed genoeg weet dat er bij de beheerders van zo'n website een lichtje gaat branden als de beoordelingen ineens uiterst negatief zouden uitvallen? Had ze geen melding gelezen dat er bij vermoeden van fraude maatregelen genomen zouden worden?
Morgen gaat ze op onderzoek uit. Het was haar niet direct opgevallen, maar als ze van één persoon komen, dan kan ze dat misschien aan de stijl zien. Op de een of andere manier stemt haar dat opgewekt. Ze kan dan gebrouilleerd zijn met haar zoon, ze laat zijn droom toch echt niet ruïneren.

13

TANTE SIMONE WAS IN HAAR ACHTERHOOFD BLIJVEN RESONEREN. HET leek alsof Marius nooit meer aan zijn bezoek of aan zijn belofte dacht, maar Vera kon haar niet meer uit haar hoofd zetten.

'Ik ga vanmiddag naar tante Simone,' zei ze vanmorgen bij het ontbijt plompverloren tegen Marius. Hij leek niet eens erg verbaasd. Hij leek eigenlijk niet eens geïnteresseerd. Het viel haar op dat hij er betrokken uitzag.

'Het is woensdag en Gwenn en Britt kunnen dus mee. Ik denk dat ze het erg leuk zal vinden om onze kinderen te ontmoeten.'

'Ik heb geen behoefte aan een nieuwe tante,' was het enige dat hij erover zei. Ze vroeg zich af wat er met hem aan de hand was. De laatste tijd leek hij zich terug te trekken in een eigen wereld die voor haar was afgesloten. Steeds vaker dacht ze eraan hoe Jacco haar een tijd geleden had voorgehouden dat ze veel te weinig bij de zaak betrokken was, dat ze er samen met Marius voor moest gaan. Het lijkt nu alsof Marius met het tegengestelde bezig is.

In ieder geval heeft ze een uurtje later tante Simone gebeld en die was helemaal ontroerd toen ze hoorde van haar plannen om naar Rotterdam te komen.

Zo rijden ze rond drie uur de straat in waar het appartementencomplex van Marius' tante zich bevindt. Bomen kleuren de omgeving. Het schuchtere groen dat rond de gebouwen waasde tijdens hun eerdere bezoek begin april, heeft zich nu volledig ontplooid.

'Wie is tante Simone nou weer?' wilde Gwenn weten toen Vera de tweeling tijdens de lunch van haar plannen op de hoogte stelde. Voorzichtig heeft ze de familieverhoudingen proberen te verklaren.

'De zus van opa? Van opa Van Duijvenbode?' informeerde Britt.

'Opa Edward is dood,' wist ze even later toen Vera de relatie had verklaard. 'De cavia van Willemijn is ook dood. Willemijn moest vanmorgen heel erg huilen.'

'Wij hebben niet gehuild toen opa Edward dood was,' peinsde

Gwenn. 'Alle kinderen huilen altijd, maar wij hebben niet gehuild.'
'Dat komt misschien omdat je opa Edward niet vaak hebt gezien,' bedacht Vera. 'Als opa Van Duijvenbode zou overlijden, zouden jullie vast wel verdrietig zijn.'
Gwenn keek nadenkend voor zich uit. 'Ook als oma Van Duijvenbode zou... zou overlé, overlij... dood zou gaan. En oma Drinkwater... Of misschien toch wel niet, want die zien we ook niet vaak, hè mama?'
'We gaan gauw weer naar haar toe,' beloofde ze.
'Papa is boos op oma Drinkwater.' Britt zei het zachtjes. 'En dat vind ik heel stom, want oma is zielig.'
'Zielig?' Die benaming verbaasde haar.
'Ja, ze is alleen en dat is zielig, en ze kijkt ook zielig,' hielp Gwenn haar zusje. 'Waarom is papa boos op oma?'
'Misschien moet je hem dat binnenkort zelf maar eens vragen,' stelde ze diplomatiek voor.
In de auto zijn de kinderen er niet meer op teruggekomen en nu ze de straat in rijdt, lijken ze onder de indruk van het komende bezoek. Stilletjes zitten ze op de achterbank, rustig stappen ze even later uit. Tante Simone staat weer op de uitkijk. Timide zwaaien ze naar de vrouw in de zon op het balkon. Hand in hand stappen ze even later in de lift. Hand in hand lopen ze naar de voordeur, die al op een kier staat. Als ze een paar minuten later vriendelijk begroet worden door tante Simone, die zich voor deze gelegenheid in een appelgroene jurk heeft gestoken, heeft Gwenn haar oordeel al klaar: 'Ik vin jou lief.'
Britt is het helemaal met haar eens.

Tante Simone heeft petitfours in huis gehaald met chocolade en gekleurde balletjes. De tweeling is onder de indruk en die indruk neemt nog toe als ze even later toestemming van tante Simone krijgen om met de oude poppenwieg en poppenwagen te spelen die in een hoek van de kamer klaarstaan. Vol overgave storten ze zich in het spel, waarbij Vera alleen in een ruzie moet bemiddelen als ze allebei moeder willen zijn en Gwenn volhoudt dat Britt toch echt de vader moet worden.

'Het spijt me dat ik niet eerder van me heb laten horen,' verontschuldigt Vera zich.

'Dat ligt niet aan jou.' Tante Simone kijkt haar vorsend aan. 'Je moet de verantwoordelijkheden van Marius niet op jouw bord neerleggen. Ik heb het verzoek aan hem gedaan en niet aan jou. Ik hoopte dat hij zelf zou komen of bellen.'

'Ik weet niet of hij dat gaat doen,' zegt ze verlegen.

'Ik weet het ook niet, maar dat staat niet tussen ons in. Jij en ik kunnen het prima vinden en ik vind het geweldig dat je de kinderen hebt meegebracht. Op die manier voelt het alsof ik mijn broer toch een beetje terugkrijg.' Ze pikt met haar roze nagel een denkbeeldig pluisje van haar jurk. 'Het voelt eenzaam om geen familieleden meer te hebben. Ik heb genoeg sociale contacten, maar familieleden gaan boven alles.'

'En de vrouw van Edward?'

'Sjoukje?' Tante Simone glimlacht. 'Ach, ze is een schat van een vrouw, maar ze zit nu thuis te verkommeren omdat ze Edward zo mist. Ik heb haar voorgehouden dat ze er eens vaker uit moest gaan, maar ze zegt dat het leven zijn kleur heeft verloren.'

'Ze heeft heel veel van haar man gehouden,' concludeert Vera.

'Dat kun je wel zeggen. Het probleem is ook nu voor Sjoukje dat het haar aan financiële middelen ontbreekt. Daardoor is het bijna onmogelijk om een bloeiend sociaal leven op te bouwen. Helaas is ze te trots om iets van mij aan te nemen. Ik zou haar graag willen helpen, maar ze weigert systematisch.'

'Het zit me dwars dat mijn schoonvader, de vader van Marius, in een algemeen graf ligt.'

'Dat zou vooral Marius dwars moeten zitten,' meent tante Simone. 'Misschien kan het jou helpen als ik opbiecht dat ik heb gelogen tijdens jullie bezoek.'

'Gelogen?'
'Het spijt me.' De blik waarmee ze die woorden uitspreekt, drukt bijna het tegendeel uit. 'Ik hoop toch niet dat je echt hebt gedacht dat ik zou toelaten dat mijn broer in een algemeen graf zou worden begraven? Ik heb Sjoukje met veel moeite weten te overtuigen dat ik dat echt niet zou laten gebeuren.' Ze wacht Vera's reactie af, maar die staart haar sprakeloos aan. 'Ik hoop niet dat je het me al te zeer kwalijk neemt. Dat van die steen klopt wel. Er staat een klein wit bordje op het graf van Edward met alleen zijn naam. Uiteraard kan ik het me permitteren om een fraaie steen voor hem te kopen, maar het lijkt me voor Marius veel beter als hij dat doet. Ik ben er eigenlijk ook van overtuigd dat hij dat gaat doen.'
'Dan kent u hem niet goed.'
'Nee, dat is zeker. Maar ik heb in de loop van mijn leven heel wat mensenkennis opgedaan en daardoor weet ik het heel goed in te schatten. Let op mijn woorden: we moeten er misschien nog even op wachten, maar Marius komt wel.'
'Ik help het u hopen,' zegt ze zorgelijk.

Marius' blik zuigt zich op datzelfde moment aan zijn beeldscherm vast, waar hij even ervoor een mailtje van Fieneke heeft ontdekt. :

Geachte meneer Goedhardt,
Heel veel jaren heb ik bij u gewerkt en dat heb ik altijd met plezier gedaan. Nu word ik beschuldigd van het stelen van sieraden. Ik weet best dat alles tegen mij getuigt, maar ik wil u toch nog een keer zeggen dat ik echt van niets weet. Ik ben die avond inderdaad op de gang geweest, maar mijn vriend kan bevestigen dat ik een poosje met hem heb getelefoneerd, omdat hij voor de eerste keer op mijn kinderen paste. Hij wilde dat ik u dat zou schrijven. Waarschijnlijk lost het niets op, maar ik vond toch dat u het moest weten. Ik heb altijd veel vertrouwen in u gehad en toen Joris er nog was, vond ik het ook altijd heel fijn om in uw restaurant te werken, maar meneer Dupeur doet het niet goed. Ik voelde me nooit fijn bij hem in de buurt. U kent mij al heel

veel jaren. U moet toch weten dat ik nog nooit iets gestolen heb en dat ik dat ook nooit zal doen? U kunt waarschijnlijk niets met deze mail, maar ik moest het gewoon even kwijt. Er kloppen dingen niet. Ik begrijp wel dat u mij die avond direct moest ontslaan en dat neem ik u ook niet kwalijk. Ik hoop alleen dat u het nog eens wilt onderzoeken.
Met vriendelijke groet,
Fieneke de Weerd

Waarom geeft dit mailtje hem zo'n naar gevoel?
Omdat hij het met Fieneke eens is en hij niet wil geloven dat ze daadwerkelijk sieraden en geld heeft gestolen? Het is een vreemd verhaal, maar hij kan er niets mee. Feit blijft dat Fieneke op heterdaad betrapt is met het pakje in haar tas dat Jacco later naar de eigenaar heeft teruggebracht. De man herkende het ogenblikkelijk. Hij ziet nog de verwarring van Fieneke op die avond voor zich. Ze was echt verrast toen ze het pakje in haar tas vond.
Maar hoe kwam het daar dan? En wat kan hij er nu nog aan doen? Sinds die tijd is er niet meer gestolen. Een beter bewijs kon je al haast niet bedenken.
Nog eens leest hij de mail. Hij zou niet weten wat hij er nog aan zou kunnen doen. Bovendien heeft hij wel andere dingen aan zijn hoofd. Jacco heeft vanmorgen verslag gedaan van een aantal functioneringsgesprekken binnen het team van de bediening. Hij heeft een paar van zijn beste mensen verteld dat hun contracten niet verlengd worden. Tegen Janita heeft hij gezegd dat ze kan solliciteren als gastvrouw. Joris nam net zo goed zelfstandig veel beslissingen, maar dat waren beslissingen die Marius begreep en waar hij het mee eens was. Bij Jacco is het net alsof de hele zaak hem tussen zijn vingers doorglipt, alsof zijn kundigheid in twijfel wordt getrokken en zijn droom langzaam maar zeker in een nachtmerrie ontaardt.

Wat later op de middag komt een dame van een jaar of zestig aarzelend de ruime hal van Hotel Emma binnen. Haar donker-

blonde, krullende haar is voorzien van grijze vegen. Met een paar schuifjes probeert ze haar kapsel wat in toom te houden, maar dat lukt niet helemaal. Bij de receptie blijft ze staan. Uit haar hele houding spreekt onzekerheid, alsof ze er zeker van is dat ze hier eigenlijk niet hoort. Haar grijze ogen kijken Annika, die de receptie bemant, peilend aan. 'Ik wil graag een kopje koffie drinken.'
Haar stem verraadt nervositeit, maar Annika let er niet op. 'Dan kunt u het beste naar de lunchroom gaan,' stelt ze voor. 'Daar hebben ze ook heerlijk gebak. Als u weer even naar buiten loopt en dan linksaf gaat, ziet u een klein eindje verderop de ingang van die lunchroom.'
'Het is gelukkig mooi weer,' zegt de vrouw.
'Ja, daar waren we allemaal wel aan toe, hè? De wereld ziet er altijd weer anders uit als de zon schijnt. Meestal zijn de mensen dan ook een stuk beter gehumeurd.'
De vrouw lijkt nog iets te willen zeggen, maar als de telefoon gaat en Annika de hoorn pakt, draait ze zich om en loopt ze weg.

Het bedienend personeel van de lunchroom praat naderhand over de vrouw, die heel stilletjes ongeveer de hele morgen na de bestelling van één kopje koffie was blijven zitten. Zonder acht te slaan op iets anders, zat ze bij het raam met uitzicht op de ingang, die ze doorlopend in de gaten leek te houden.
Er is haar een aantal malen gevraagd of ze nog iets anders wenste, maar ze wimpelde die vragen verstrooid af, kennelijk niet op de hoogte van het feit dat het hoogst onfatsoenlijk was om op één kopje koffie een hele morgen zo'n fraaie plek in te nemen. Niemand durfde het haar te zeggen en zo is ze tot twaalf uur gebleven. Daarna keek ze zenuwachtig op haar horloge en stond gehaast op. Het meisje dat met haar afrekende, kreeg een fooi van tien cent en die leverde uiteindelijk nog de meeste gespreksstof op.

'Je benoeming tot gastvrouw zit eraan te komen,' zegt Jacco die avond tevreden tegen Janita. 'Ik heb het aan Marius voorgelegd en die voorzag geen problemen.'
Ze zijn samen met de auto naar een meertje even buiten Zwartburg gereden. Het is nog te koud om te zwemmen, maar het is heerlijk om er te wandelen en een poosje aan de waterkant te zitten.
'Vera is er ook nog,' tempert Janita zijn enthousiasme. 'Die is erg gesteld op Yasmijn.'
'Ze werken nooit samen.'
'Maar Yasmijn is wel op Vera's voorspraak aangenomen.'
'Dan spijt me dat voor haar, maar ik heb haar contract niet verlengd.'
'Dat meen je niet.' Janita lacht ongelovig. 'Vera is je baas.'
'Vera zal me geen strobreed in de weg leggen.'
'Daar ben je nogal zeker van.' Hij hoort de achterdocht in haar stem.
'Ja,' zegt hij. 'Daar ben ik heel erg zeker van.' Hij gaat zich niet verontschuldigen, hij wil haar niets uitleggen.
Ze gaat languit liggen, haar haren als een donkere waaier rond haar hoofd. 'Misschien moet je Vera niet onderschatten,' hoort hij haar zeggen. 'Je denkt nu wel dat je haar in je broekzak hebt, maar ze is niet op haar achterhoofd gevallen. Als je het te bont maakt, krijgt ze argwaan, en ik ben ervan overtuigd dat ze gaat zoeken.'
'Ze zal me niets kunnen maken.' Hij gaat naast haar liggen. 'Ik wil het helemaal niet over Vera hebben. Laten we het over ons hebben.'
'Over onze bruiloft?' Het klinkt cynisch.
'Ja, over onze bruiloft. Als we het hier geregeld hebben, gaan we trouwen op een prachtig, zonovergoten eiland.'
'Ik wil naar Curaçao,' zegt ze. 'Daar kunnen we ook in de horeca werken, maar daar hoeven we nooit door de kou naar ons werk. Wat zullen we dan gelukkig zijn.'
'Misschien koop ik daar wel een boot en dan neem ik toeristen mee de zee op zodat ze kunnen vissen.'
'Jij en vissen?' Ze rolt zich op haar zij, volgt met haar vinger de con-

touren van zijn gezicht, via zijn voorhoofd zachtjes naar onderen, naar zijn neus, zijn lippen.
'Dacht je dat ik niet kon vissen? Het lijkt me heerlijk. Geen stropdas of kostuum meer, maar elke dag op slippers in m'n korte broek en een shirt. En als ik in de week genoeg heb verdiend, doe ik gewoon een dagje niets.'
Haar hand ligt op zijn borst. Hij heeft zijn stropdas, nadat hij uit zijn werk was gekomen, verbannen naar het dashboardkastje van zijn auto. Zijn shirt staat een eind open, ze voelt zijn hart langzaam en regelmatig kloppen.
'En dan krijgen we vier kinderen,' droomt ze zachtjes verder.
'Vier?' Hij grinnikt. 'Zie je mij echt als vader van vier kinderen?'
'Ik denk dat je een fantastische vader zult zijn.'
'Twee meisjes en twee jongens?'
'Dat kan ik je natuurlijk niet garanderen. Laten we maar blij zijn met wat we krijgen. Ik denk dat we een leuk gezin zouden vormen.'
Ze kust zachtjes zijn gezicht. Ze droomt, en ze weet het. Ergens in haar welt een rauw gevoel van pijn op. Jacco zal nooit bij haar horen. Zelfs niet nu, op dit moment, terwijl ze haar dromen met hem deelt.
'De meisjes lijken op jou,' hoort ze hem zeggen. 'En de jongens hebben mijn kuren.'
Deze kinderen zouden liefde krijgen. Ze zou ze alle liefde geven die in haar is, omdat het Jacco's kinderen zijn. Ze zou ze alles geven wat hij schijnbaar heeft moeten ontberen. Haar kinderen zouden in staat zijn om van anderen te houden, omdat ze weten wat liefde is. Die kinderen zullen nooit komen.
Jacco zal haar laten vallen als hij haar niet langer nodig heeft. Ze is ervan overtuigd dat hij zich nooit zal binden.
Zachtjes vlijt ze zich tegen hem aan, bang dat hij hun droom zal verstoren als ze te dicht bij hem komt. Er is zo veel vertrouwds aan hem: de geur van zijn dure aftershave, zijn huid onder haar warme hand, de manier waarop hij met zijn vingers haar gezicht streelt.

Hij blijft liggen.
Zij sluit haar ogen. Ze wil de droom nog even vasthouden.

'Dat lieg je!' Vera voelt de verontwaardiging in haar lichaam gloeien. 'Je meent niet echt dat Jacco het contract van Yasmijn niet heeft verlengd. Ze deed het goed. Je zei zelf ook altijd dat de gasten tevreden waren. Hoe heb je dat kunnen goedkeuren?'
'Er viel niets goed te keuren. Jacco heeft van ons de vrije hand gekregen, net zoals Joris dat altijd heeft gehad. Ik hoorde achteraf pas dat hij een functioneringsgesprek met haar heeft gevoerd en haar daarbij heeft laten weten dat haar contract niet verlengd is.'
'Op grond waarvan?'
'Hij had klachten over haar ontvangen.'
'Marius, je moet hem stoppen.' Ze ziet er verhit uit.
'Je denkt toch niet dat ik nu met hangende pootjes naar Yasmijn ga om te zeggen dat we het wel zullen terugdraaien?'
'Dat moet Jacco doen.'
'Ik maak me verschrikkelijk belachelijk als ik dat bij hem aankaart.'
'Je maakt jezelf belachelijker als je het allemaal laat gebeuren.'
Hij kijkt haar aan. 'Wij wilden Jacco allebei,' zegt hij. 'Jij net zo goed als ik.' Het voelt alsof er aan zijn stoelpoten wordt gezaagd, heel voorzichtig, langzaam maar zeker.
'Maar ik was niet van plan om over me heen te laten lopen en dat zal ik hem dan zelf wel vertellen.'
Er wordt aan veel meer gezaagd. Hij ziet het aan Vera's gezicht, dat teleurgesteld staat. Tegenover Jacco lijkt hij steeds een slappeling, maar Vera weet niet van de cijfers. Langzaam maar heel zeker doet het gif van die slechte recensie zijn werk. Dagelijks krijgt hij het van Jacco te zien. Ze hebben een knallende ruzie gehad over de inkoop voor de keuken. Marius had 'eerlijke ingrediënten' hoog in het vaandel staan. Vanuit de omgeving van Zwartburg haalde hij het beste vlees, knapperige groentes en geurige kruiden. Jacco heeft hem voorgehouden dat die eerlijke ingrediënten te weinig opleve-

ren. Hij moet van Jacco bezuinigen op de personeelskosten. Zo zal de plaats van Janita niet worden opgevuld als ze in haar nieuwe functie gaat beginnen. Want dat ze de nieuwe gastvrouw zal worden, is voor hem nu al een vaststaand feit. 'Janita zal haar plaats innemen,' zegt hij snel, wetend dat Vera's humeur daar zeker niet van zal opknappen.

'Janita?' Ze hapt naar adem. 'Waarom Janita? Ze heeft haar...'

'Ze heeft veel ervaring.' Hij valt haar in de rede. 'Daar is natuurlijk ook wel wat voor te zeggen.'

'Ze is gewoon het vriendinnetje van Jacco.'

'Daar heb ik nog nooit iets van gemerkt.' Hij is oprecht verbaasd. 'Jacco en Janita? Echt waar?' Vermoeid hangt hij onderuit op de sofa.

'Dan moet je eens wat beter opletten.' Woedend is ze over de dingen die Jacco uithaalt, over de houding van Marius, over zijn sufheid en dat hij zich zo laat vernederen door Jacco. Ze is woedend, en dat terwijl ze zo goedgehumeurd uit Rotterdam terugkwam.

Het praten met tante Simone had haar goed gedaan en het was een geruststelling te weten dat de vader van Marius niet werkelijk in een algemeen graf lag. Marius zou zijn tante die leugen waarschijnlijk niet in dank afnemen, maar zij begreep het wel. Gwenn en Britt hadden ook genoten en toen ze weggingen, hadden ze tante Simone uitgenodigd om ook eens bij hen thuis te komen.

Wat aarzelend had de oude dame Vera's kant uit gekeken. 'Ik weet niet of dat mogelijk is. Zou Marius...'

'Ik zou het ook erg leuk vinden, en laat Marius maar aan mij en de meiden over,' was Vera haar in de rede gevallen.

In die stemming was ze thuisgekomen. Gwenn en Britt wilden hun verhaal bij Marius kwijt. Ze zeurden dat ze naar het restaurant wilden. Zij had ze beloofd dat ze Marius zou vragen of hij de volgende dag voor schooltijd met hen wilde ontbijten. Ze had op hem gewacht. Ook zij wilde met hem over tante Simone praten, maar toen hij thuiskwam, had Marius gezegd dat hij het liefst direct naar

bed wilde. Maar hij was toch nog even blijven zitten. Was hij maar gegaan. Dan had ze zich nu niet zo hoeven opwinden.
Marius was direct over Jacco begonnen en over het ontslag van Yasmijn. En dat laat hij allemaal maar over z'n kant gaan! En dan nu ook Janita nog!
'En al zou ze de vriendin van Jacco zijn, dan hoeft dat toch geen belemmering te betekenen? Als ze haar werk goed doet, is er niets aan de hand. Ik heb ze ook nog nooit op enige uitingen van liefde voor elkaar kunnen betrappen.'
Vera snuift. 'Ik wed dat Janita dienst heeft als de opnames van *Koksmaatjes* binnenkort beginnen.'
'Die opnames komen er niet.' Hij draait zijn glas port langzaam in zijn hand rond en kijkt ernaar alsof hij daar alle aandacht voor nodig heeft.
'Hoezo, die komen er niet? Daar hadden we toch afspraken over gemaakt?'
'Ik heb een brief gekregen dat het niet doorgaat. Het had met financiën te maken.'
'Het is toch ongehoord,' briest ze.
'Dat is waar het in deze wereld om draait,' zegt hij rustig. 'Als er geen geld is, gaan dingen niet door.'
Hij vertelt haar niet van het telefoontje dat hij eraan heeft besteed en van Iris van de regionale omroep, die hem vertelde dat ze bij nader inzien toch liever naar een ander restaurant in Zwartburg gingen.
Ze zei het niet, maar hij wist zeker dat het met die slechte recensie te maken had. Zo woekeren de woorden van Andreas ter Brugge voort en hij staat machteloos. Hij ziet hoe Vera nu opstaat. Haar houding straalt ingehouden woede uit, de manier waarop ze de laatste slok port uit haar glas drinkt en het bakje met nootjes van de tafel haalt dat ze even eerder heeft neergezet, de grote passen waarmee ze naar de keuken loopt en het lawaai dat ze maakt als ze de vaatwasser opent en daar het een en ander in deponeert.

'Ik ga naar bed,' meldt ze totaal overbodig. 'En reken maar niet dat Jacco er zo makkelijk van afkomt.'
'Ik wens je succes.'
Ze reageert niet meer.

Het is net alsof Marius een ander is geworden. Vera draait zich voor de zoveelste maal om. De plek naast haar is leeg, maar beneden is het stil. Als ze haar ogen sluit, ziet ze zijn gezicht voor zich. Ze is altijd trots op hem geweest. Marius durfde waar zij nog twijfelde. Het voelde goed om zijn vrouw te zijn. Vanaf het eerste moment dat ze elkaar tijdens dat culinaire evenement in de ogen keken, wist ze dat ze bij elkaar hoorden. Ze genoot ervan om met hem samen te werken in hun restaurant, om hem te steunen in zijn werk, om zijn ideeën met hem te delen.
Wanneer is dat veranderd? Is het na de opening van Hotel Emma gekomen? Of is het al na de geboorte van de tweeling begonnen? Ze pijnigt haar hersens. Nee, na de geboorte van Gwenn en Britt waren ze dolgelukkig en Marius stak de weinige tijd die hij over had in zijn twee dochtertjes. Als hij over ze praatte, glunderde hij. Als hij naar ze keek, leek hij over te lopen van liefde.
Na de opening van Hotel Emma waren ze nog net zo gelukkig. Ze stonden er samen achter en op die dag stonden ze naast elkaar, een twee-eenheid, zoals het altijd is geweest.
Daar is nu niets meer van over. Ze kan niet aangeven wanneer het precies begonnen is. Het is er langzaam maar zeker in geslopen en eerst wilde ze het niet zien. Nu kan ze er niet langer omheen.
Heeft dat met Jacco te maken?
De warmte is in huis blijven hangen. Ze stapt uit bed en zet het raam verder open. De nachtlucht voelt aangenaam koel aan haar verhitte gezicht.
Ze ademt diep in en uit. Langzaam voelt ze zich rustiger worden. De nacht is stil en zwart.
Waarom heeft ze de benoeming van Jacco niet tegengehouden? Zo

moeilijk was dat niet geweest. Ze had het met Joris eens kunnen zijn en dan had ze Jacco waarschijnlijk nooit weer gezien. Nu heeft hij zich in haar leven gedrongen, veel dieper dan ze wil.
Jarenlang heeft ze zich verbeeld dat het verleden voorbij was, maar met Chris, of met Jacco, is het weer helemaal terug. Ze weet zelf niet zo goed wat ze daarbij voelt. Van liefde is geen sprake meer, maar ze wil misschien weten en begrijpen. Tot op de dag van vandaag begrijpt ze het nog niet, ook niet na het verhaal dat hij heeft opgehangen. Wel weet ze nu dat ze hem niet had moeten toestaan om opnieuw haar leven te beheersen. Want dat doet hij. Door de verhalen van Marius, door de blikken die hij haar af en toe zendt, door de veranderde sfeer binnen hun hotel.
Nog steeds is hij niet te vertrouwen, dat is het. Misschien voelt Marius dat ook en is hij niet in staat om zich ertegen te wapenen.
'Ik vertrouw Jacco niet,' vertelt ze aan de nacht. Haar woorden worden meegenomen en ze luchten haar op nu ze eenmaal hardop zijn uitgesproken. 'Ik vertrouw Jacco voor geen cent,' zegt ze nog eens voordat ze het raam van de slaapkamer weer op een kier zet. Beneden is het nog steeds stil.
Ineens wordt die stilte beklemmend en ze kan niet anders dan zachtjes de trap afdalen. Marius hangt meer dan hij zit op de sofa, maar nu nog meer onderuitgezakt, zich niet bewust van de wereld om hem heen en haar aanwezigheid. Af en toe maakt hij zachte pufgeluidjes.
'Marius...' Ze schudt aan zijn schouder. Als hij niet reageert, herhaalt ze dat.
Lodderig kijkt hij haar aan. 'Wat moet je?'
'Het is tijd om naar bed te gaan,' zegt ze zachtjes.
'Ach mens, laat me toch.'
De woorden treffen haar hard. Ze zou hem willen laten liggen, maar de tweeling moet hem hier morgenochtend niet vinden.
'Het is al nacht.'
Nu lijkt hij een beetje bij zijn positieven te komen. 'Dan moest ik

maar eens gaan.' Steunend komt hij overeind, lijkt haar nu echt te zien. 'Jij gaat toch ook wel naar bed?'
Hij glimlacht en ze realiseert zich dat hij die harde woorden niet meende, dat hij zich er waarschijnlijk niet eens van bewust was dat hij ze tegenover haar uitsprak. Toch houdt ze er een naar gevoel aan over.

14

De volgende morgen lijkt dat vervelende gevoel naar de achtergrond gedrongen. Gwenn en Britt zitten mokkend aan tafel omdat Marius het niet kan opbrengen aan het ontbijt te verschijnen.
'Misschien kunnen we tussen de middag samen met papa in het Grand Café lunchen,' oppert ze om hen een beetje op te monteren. 'Papa vindt het vast ook jammer dat het vanmorgen niet gelukt is, maar hij was gisteravond zo moe.'
'Papa is altijd moe,' stelt Britt vast. Ze laat zich van haar stoel glijden om haar rugtas te pakken, die gevuld met een pakje drinken en een pakje fruitbiscuit mee naar school gaat.
'Papa werkt ook hard,' neemt ze het voor Marius op. 'En hij ligt vaak heel laat op bed.'
'Ik wou dat hij geen hotel had,' zegt Gwenn hartgrondig. 'Het is een stom hotel.'
'Dat wil ik niet meer horen,' zegt Vera streng.
'En toch is het zo,' houdt Gwenn vol, terwijl Britt instemmend knikt. Als ze naar de koppige uitdrukking op hun gezichten kijkt, doet ze er verder het zwijgen toe.

Zomers warm wordt het vandaag, hebben alle weermannen en -vrouwen op radio en televisie voorspeld. Het ziet ernaar uit dat ze gelijk krijgen. Als Vera de tweeling naar school heeft gebracht en in de klas heeft afgeleverd, is de zon al volop aanwezig. Ze kan het vrolijke rode jasje uittrekken dat ze vanmorgen over haar gebloemde zomerjurk heeft aangeschoten. Door de heerlijke warmte op haar blote armen, voelt ze zich opgewekt en zelfs een beetje overmoedig. Waarom zou ze nu niet naar de zaak gaan? Marius ligt thuis nog te slapen en zal na een snel ontbijt straks ook vertrekken. Op dit tijdstip is het nog rustig. Dit is een uitgelezen moment om zich met Jacco over de ontstane situatie te onderhouden. Zonder er nog veel over na te denken, rijdt ze niet naar huis maar naar het centrum,

waar ze de auto even later neerzet op de ruime parkeerplaats van het hotel. Er is iets lichts en vrolijks in haar hoofd als ze omhoog kijkt naar de glanzende ramen van hun hotel. 'Ons hotel,' zegt ze zachtjes voor zichzelf heen. Dit is de droom van Marius en haar. Jacco mag daar niet tussen komen en daar zal zij persoonlijk voor zorgen.
In de hal verdwijnt dat opgewekte, drieste gevoel net zo snel als het opgekomen is. Ineens is ze niet meer zo zeker van het welslagen van haar missie. Ze treuzelt.
Annika heeft ochtenddienst. Ze maakt een praatje over het weer. Waarom is haar boosheid van de avond ervoor verdwenen, die haar sterk en moedig zou hebben gemaakt? Annika vertelt een verhaal over haar broer, die gezondheidsproblemen heeft. Vera kan haar gedachten er niet bij houden. In gedachten ziet ze Jacco's dwingende blik die haar angst aanjaagt.
'Ik hoop dat het allemaal weer goed komt met je broer,' zegt ze vriendelijk als Annika haar verhaal beëindigd heeft. Ze begint nu iets te vertellen over haar vriend. Onderwijl probeert Vera te denken aan Yasmijn, die het veld moet ruimen, aan Janita, die via slinkse wegen door Jacco binnengeloodst zal worden. Haar woede vlamt toch weer op en als Annika even ademhaalt om aan een nieuw onderwerp te beginnen, neemt zij met een haastige groet afscheid om op weg naar Jacco's kantoor te gaan.
Zodra ze dat nadert, voelt ze haar hart weer in haar keel kloppen. Ze zou het liefst omdraaien, maar haar belofte aan Marius zorgt ervoor dat ze doorloopt. Zijn kamerdeur staat op een kier. Binnen heerst doodse stilte. Via de kier tracht ze de kamer binnen te kijken. Jacco lijkt er niet te zijn. Voor de zekerheid klopt ze op de deur. Er komt geen reactie. Ze duwt voorzichtig zijn deur verder open.
Zijn bureaustoel staat een eind naar achteren geschoven, alsof hij in haast is opgestaan. Wat onzeker blijft ze in de deuropening staan, overziet zijn kamer, die uitblinkt in ordelijkheid. Documenten liggen op keurige stapels, pennen staan rechtop in een daarvoor bestemde zwarte, kunststof pennenbak. Buiten dat en zijn computer

staat er niets op zijn bureau. De onpersoonlijkheid valt haar ineens op. Zijn ondoorgrondelijkheid is aan zijn bureau af te lezen. Zou hij zich tegenover Janita wel blootgeven?
Nu ze er toch is en het ernaar uitziet dat hij elk moment terug kan komen, besluit ze te wachten. Ze loopt naar het raam en kijkt uit over de parkeerplaats, waarachter de stadsgracht zichtbaar is. Er liggen woonarken. De stadsbus staat bij de halte en trekt even later op. Tien jaar geleden werd haar vader kort in het Emma Ziekenhuis opgenomen. Ze herinnert zich nog hoe ze tijdens het bezoekuur voor het raam stond en ditzelfde beeld zag. In die tijd had ze in de verste verte niet kunnen bevroeden wat dit ziekenhuis voor haar zou gaan betekenen.
Ze draait zich om. Op het beeldscherm van de computer schuift het logo van Hotel Emma onophoudelijk voorbij. Ze kan zelf niet navertellen wat haar bezielt om de muis met haar hand een klein tikje te geven, waardoor het scherm zichtbaar wordt waarin Jacco het laatst heeft gewerkt. In eerste instantie schrikt ze zelf van haar actie, en ze luistert ingespannen of Jacco nog niet in aantocht is. Er heerst stilte op de gang.
Haar ogen zoeken het scherm. Hij was kennelijk aan het mailen en zo te zien probeert hij van een verzoek om sponsoring af te komen. Er staat nog een scherm open. Ze klikt het aan en begrijpt niet goed wat ze ervan moet denken. Een vakantiepark. Zou dat iets met zijn ouders te maken hebben? Nog een schermpje met contactgegevens. De naam van de eigenaars van het park. Woorden die door Jacco ingetypt zijn: *Graag zou ik het adres vernemen van de voormalige eigenaars van vakantiepark De Eekhoorn, de heer en mevrouw Dupuis. In mijn jeugd heb ik vaak met mijn ouders op De Eekhoorn gekampeerd. Voor het vijftigjarig huwelijk van mijn ouders zou ik hen graag willen uitnodigen. Mijn ouders zullen dat zeer op prijs stellen...*
'En wat ben jij aan het doen?'
Ze kan zich niet heugen ooit eerder zo geschrokken te zijn.
Terwijl ze met trillende lippen naar een verklaring zoekt, is ze zich

hinderlijk bewust van haar rode kleur. De schrik heeft haar creativiteit verlamd, het bloed gonst in haar slapen. Ze moet zich aan zijn bureau vasthouden.
'Het is... het gaat om... ik zag dat je je computer had aanstaan en ik wilde... de website, ja... de website van ons hotel. Is die niet eens aan vernieuwing toe?'
'Dat kun je me de volgende keer beter gewoon vragen,' reageert hij ijzig. 'Ik heb uiteraard niets te verbergen, maar ik vind het ronduit onbehoorlijk om rond te snuffelen op de computer van een ander.'
Misschien zou ze daar nu tegen in moeten brengen dat de computer eigendom van het hotel is, maar haar positie is danig verzwakt. Ze durft zelfs niet te beginnen over de reden van haar komst. Nog snel probeert ze de site te minimaliseren. Ze wil zich verontschuldigen, maar haar mond wil niet meewerken.
'En waar heb ik je bezoek aan te danken?' Hij staat al naast haar en heeft natuurlijk gezien wat ze aan het bekijken was. 'Ik neem in ieder geval aan dat je hier niet kwam om naar mijn computer te kijken?'
Ze ruikt zijn aftershave. Misschien moet ze toch eens vragen welke hij gebruikt. Het is geen wonder dat ze niet direct Chris in hem zag. Chris rook nooit zo lekker. Chris droeg ook niet zo'n smaakvol overhemd. Chris, Jacco... Dupeur, Dupuis... Waarom heeft ze het toch niet anders aangepakt?
'Vera?'
Ze slaat haar armen over elkaar, probeert haar ademhaling te regelen en voelt hoe ze langzaam maar zeker kalmeert. 'Ik wil graag met je praten over je opruimwoede binnen ons bedrijf.'
'Opruimwoede?' Hij schuift zijn stoel naar achteren en gaat zitten. 'Misschien kun je je nader verklaren? Neem ook een stoel, zou ik zeggen. Dat praat makkelijker.'
Ze blijft staan. 'Ik heb het over contracten die niet verlengd worden. Zonder overleg neem je vergaande beslissingen over mensen waar Marius en ik heel tevreden over zijn. Mensen die het waard zijn om te blijven. Daarbij denk ik onder anderen aan Yasmijn. Jij weet net

zo goed als ik dat er geen enkele reden is om haar contract niet te verlengen. Ze doet het prima, is heel gemotiveerd...'
'Ze is op jouw voorspraak aangenomen, meen ik te hebben gehoord?'
'Dat heeft er niets mee te maken.'
'Weet je dat zeker?' Hij heeft lichtjes in zijn ogen. 'Het moet toch pijnlijk zijn om te ontdekken dat je verkeerde keuzes hebt gemaakt.'
De spottende ondertoon in zijn stem ontgaat haar niet. 'Voor Marius zal het ook vervelend zijn om te merken dat zijn echtgenote blijkbaar toch niet zo'n mensenkennis heeft als hij altijd heeft gedacht.'
'Marius zit er net zo goed mee in z'n maag...'
'Marius heeft in het verleden heel veel belangrijke beslissingen overgelaten aan zijn general manager. Waarom zou dat nu ineens moeten veranderen? Omdat jij me niet vertrouwt? Omdat jij ineens weer denkt aan dat verleden en meent dat een vos wel zijn haren verliest, maar niet zijn streken?'
'Dat heeft er niets mee te maken.'
'Ik denk het wel. Je vertrouwt me niet en daarom probeer je tijdens mijn afwezigheid via de computer te ontdekken waar ik mee bezig ben.' Hij knijpt zijn ogen tot spleetjes. 'Het is zo jammer dat je er nu pas mee komt.'
Vroeger overbluftte hij haar als ze begon over zijn ouders en vrienden. Ze had zich voorgenomen om dat nu niet weer te laten gebeuren. En toch is het hem gelukt. Ze staat met haar mond vol tanden.
'Heeft Marius zelf het lef niet om zijn bezwaren aan mij voor te leggen?' informeert Jacco. 'Ik zal hem dan met plezier nog eens laten weten waar de problemen liggen en dat het van groot belang is om de personeelskosten omlaag te brengen. Ik vind het nog altijd jammer dat jij zo buiten het bedrijf staat. Misschien kun jij hem overtuigen dat de inkoopkosten voor de keuken omlaag moeten. Die man is zo verhipte koppig. Het zou veel beter zijn als jij met Marius mee zou denken. Hij is een prima kok, maar blijft een slechte manager.'

'Joris was een prima manager,' zegt ze ingehouden. 'Samen met Marius vormde hij een goed team. Het was vreselijk jammer dat hij elders solliciteerde.'
'Jullie hebben meneer Verkuijl op een voetstuk geplaatst. Wellicht was hij niet zo goed als jullie al die tijd hebben gedacht. Hij had als voordeel dat hij in het verleden jouw tere hart niet heeft gebroken.'
De pretlichtjes in zijn ogen zijn weer verdwenen. Ze schrikt van de hardheid in zijn blik, van de woorden die hij haar toeslingert, van zijn woede en bitterheid.
'Daar gaat het niet om, dat weet je best.' Haar stem beeft. 'Je hebt mij in het verleden zwaar bedrogen, je hebt het vertrouwen van je werkgever misbruikt.'
'En dat wist je allemaal toen ik hier kwam solliciteren. Dom, dom, dom...'
Ze kan de laatdunkende toon in zijn stem bijna niet verdragen, vooral omdat hij gelijk heeft. Jarenlang heeft ze gemeend dat ze een streep door die episode in haar leven had getrokken, dat het voltooid en vergeten was en dat ze het verwerkt had. Met zijn komst is al haar oud zeer naar boven gekomen en ze raakte weer net zo onder de indruk van hem als twintig jaar geleden.
'We hebben het er nog wel over,' zegt ze. 'En of die benoeming van Janita doorgaat, is nog maar zeer de vraag.'
Hij antwoordt niet – hij glimlacht, zeker van zijn overwinning.

Als Vera het parkeerterrein oversteekt, botst ze bijna tegen een oudere dame op die in de richting van de lunchroom loopt. Zonder de vrouw werkelijk op te merken, verontschuldigt ze zich. In haar hoofd malen gedachten onophoudelijk door.
De vrouw kijkt even om, loopt dan naar de glazen deur met het logo van Hotel Emma. Als het personeel haar ziet binnenkomen, wordt ze herkend. De vrouw praat even over het weer, neemt dan dezelfde plek in als de dag ervoor. Als ze een grapje maakt, verschijnen er lichtjes in haar ogen. Dit keer drinkt ze twee koppen koffie.

Met lood in de schoenen loopt Vera tussen de middag met de tweeling opnieuw over de parkeerplaats. Haar voorstel om op deze zonovergoten dag te gaan picknicken in plaats van lunchen in het Grand Café, wordt direct door haar dochters afgeschoten.
'Je had het beloofd, mama,' houdt Britt haar voor.
'We moeten papa toch nog alles over tante Simone vertellen?' zegt Gwenn verontwaardigd. 'En papa zit nu toch al op ons te wachten?'
Ze weet zeker dat Marius het geen probleem zou vinden om de afspraak te verzetten. Haar voorstel om samen met de meisjes te gaan lunchen, werd door hem nu niet direct met groot enthousiasme ontvangen.
Als ze arriveren, is Marius nog in geen velden of wegen te zien.
'Ik moest van meneer Goedhardt zeggen dat hij er over een minuut of tien wel is,' vertelt Sylvie van de bediening. 'Kan ik jullie alvast iets te drinken brengen?'
De meisjes willen chocolademelk. Vera geeft de voorkeur aan een kopje cappuccino. Langzaam maar zeker wordt ze weer wat rustiger. Waarom maakt ze zich zo nerveus?
Ze moet Jacco niet het gevoel geven dat ze bang voor hem is. Over die benoeming van Janita zijn ze nog niet uitgepraat. Als hij wil bezuinigen, dan kan hij dat, wat haar betreft, op de personeelskosten van zijn vriendinnetje doen. Marius kan dan volhouden dat hij niet weet dat die twee iets met elkaar hebben, zij is er vrij zeker van.
Sylvie brengt hun bestelling. De tweeling wil geen glas, maar een gekleurd rietje bij hun flesje. Even later zitten ze tevreden te drinken.
Vera observeert de gasten die aan de andere tafels zitten. Er zijn vooral veel zakenmensen, die in geanimeerde gesprekken verwikkeld lijken. Ook het terras is op deze prachtige dag goed bezet. De deur gaat open en ze kijkt op in de hoop Marius te zien, maar ze kijkt recht in Jacco's gezicht. Hij groet haar alsof er vanmorgen niets is voorgevallen en komt regelrecht naar hun tafeltje gelopen. 'Dus dit zijn je

dochters,' zegt hij vriendelijk. 'Ik denk dat het tijd wordt dat we eens kennismaken.'
'Wie ben jij?' wil Gwenn weten. 'Werk jij hier ook?'
'Ik ben Jacco en ja, ik werk hier ook.' Zonder te vragen, schuift hij aan. 'Hoeven jullie vandaag niet naar school?'
'Jawel, we gaan hier lunsen,' legt Gwenn uit. 'Ga jij ook lunsen?'
'Ik heb weinig tijd.' Jacco werpt een steelse blik op Vera, die het vermijdt om hem aan te kijken.
'Papa heeft ook niet tijd,' zegt Gwenn. 'Maar hij gaat wel lunsen. Jij moet dat ook, hoor. Je mag wel met ons mee lunsen.'
Even lijkt Jacco van zijn stuk gebracht door de uitnodiging van Gwenn, maar dan herstelt hij zich. 'Ik ga straks lunchen. Het is veel beter dat jullie met z'n vieren even bij elkaar zijn.'
'Papa is er toch niet,' mengt Britt zich er ineens in.
'Papa komt zo.' Vera zendt Jacco nu een indringende blik die niets te raden overlaat.
'Weet je wat? Ik ga eens kijken waar jullie papa blijft. Als ik hem vind, stuur ik hem direct naar jullie toe.'
'Ik vin jou wel lief.' Gwenn kijkt hem trouwhartig aan.
'Ik vin jou ook wel lief,' echoot Britt.
'Ik vind jullie ook geweldig lief.' Hun warme woorden lijken een bres te slaan in het cynisme dat hem altijd omhult. Met een bijna liefdevol gebaar strijkt hij over de hoofden van de meisjes voordat hij op zoek gaat naar Marius.

15

Marius heeft nooit geweten dat duisternis zo beklemmend kan zijn. De zoele zomertemperatuur doet hem van zijn ene zij op de andere draaien. Het openstaande raam in de slaapkamer lijkt te weinig zuurstof binnen te laten. Hij ademt diep in, voelt weer die vage misselijkheid en een lichte paniek. Voorzichtig, om Vera niet te wekken, gaat hij rechtop zitten. Hij probeert zijn ademhaling weer onder controle te krijgen.
Vannacht is hij na een drukke avond rond twaalf uur in bed gekropen. Hij verwachtte werkelijk dat hij als een blok in slaap zou vallen. In eerste instantie was dat ook het geval, maar om halfdrie schrok hij wakker en nu ligt hij al meer dan een uur in het donker te staren.
Naast hem klinkt de rustige ademhaling van Vera. Hij kijkt naar haar slapende gezicht, dat hij vaag kan onderscheiden. Hij ziet haar blote schouder boven het dunne zomerdekbed uit komen, haar warrige haren op het kussen. Een vertrouwd beeld, dat hem ineens diep raakt, alsof het plotseling niet meer zo vanzelfsprekend is.
Zonder dat ze het weet, wankelt haar bestaan.
Ze is nu al kwaad en teleurgesteld omdat Jacco maatregelen neemt die ze niet begrijpt. Dat zal nog veel erger worden en hij weet niet hoe hij het haar moet vertellen. Ze kijkt nu soms al naar hem zoals zijn moeder altijd naar zijn vader heeft gekeken. In haar blik leest hij dat hij een slappeling is die in het niet valt bij Jacco.
Waarom heeft ze hem niet verteld dat ze bij Jacco is geweest om te vragen naar de beëindiging van de jaarcontracten? Hij heeft het van Jacco moeten horen. 'We hebben het goed kunnen uitpraten,' meldde hij met dat arrogante lachje, om in één adem door te gaan: 'In het Grand Café zit ze trouwens met je dochters. Die twee dametjes hebben me net verteld dat ze me lief vinden. Ik zou ze niet laten wachten.'
Jacco Dupeur. Hij heeft ook een jaarcontract. Kon hij zijn beslissing

van destijds maar terugdraaien.
Paniek dreigt hem te overspoelen. Hij draait zich om en gaat op de rand van het bed zitten. Zijn voeten tasten naar zijn slippers. Heel even nog blijft hij stil zitten, dan houdt hij het niet meer uit in de donkere kamer met die rustige ademhaling van Vera. Over een poosje zal ze geen oog meer dichtdoen, net als hij.
Een slechte recensie op een internetsite, beoordelingen van gasten die steeds minder lovend zijn, een tv-programma dat plotseling afhaakt en cijfers die blijven kelderen. Hij kan er niet tegen vechten omdat hij geen idee heeft waartegen hij vecht en hoe hij het tij moet keren.
Nu kan hij het haar nog niet zeggen. Hij kan het gewoon niet.
Hij vlucht de slaapkamer uit.

De volgende morgen om klokslag halftien arriveert de oudere dame opnieuw in de lunchroom. Haar plekje bij het raam is bezet. Ze aarzelt even voordat ze een tafel verderop gaat zitten die ook uitzicht geeft op het plein, maar waarvandaan de ingang minder goed te zien is. Met Karin, de dienstdoende serveerster, maakt ze een praatje over het mooie weer. Ze vertelt hoe ze ernaar verlangd heeft en dat ze vaak zo somber wordt van donkere dagen. Als de koffie voor haar is neergezet, haalt ze het bijgeleverde koekje uit de folie en zit daar even later verlekkerd aan te knabbelen. Na een kwartier stappen de twee dames op die de plek bij het raam hadden ingenomen. Ze pakt haar lege koffiekopje op en wisselt snel van plaats. Een halfuur later bestelt ze een tweede kopje koffie, terwijl ze nauwlettend de deur in de gaten blijft houden.
Karin ziet hoe ze een poosje later weer van haar koekje knabbelt en dan ineens verder naar het raam buigt. Als zij ook naar buiten kijkt, ziet ze Jacco lopen met snelle, energieke passen.
'Wat heeft die meneer een mooi pak aan, hè?' hoort Karin de vrouw tot haar verwondering zeggen.
'U bedoelt meneer Dupeur, onze general manager?'

'Heet hij meneer Dupeur?' Het bleke gezicht van de vrouw vertoont plotseling rode vlekken. 'Weet u zeker dat hij zo heet? Heet hij niet... Ach, laat ook maar. Is hij aardig?'
'Kent u hem dan?' informeert Karin.
'Kennen is te veel gezegd.' De vrouw lijkt zich ineens met haar houding geen raad te weten. 'Maar hij heeft wel een mooi pak, hè?'
'Meneer Dupeur draagt altijd mooie pakken en hij is best streng, maar ook rechtvaardig. Laatst heeft hij een loverboy het hotel uit gewerkt. Hij liep zelf een messteek op, maar gelukkig raakte dat mes geen vitale delen.' Ze staat even stilletjes bij de oudere dame te kijken, tot ze geroepen wordt door een van de andere gasten. 'Ik weet eigenlijk niet of ik hem aardig vind,' zegt ze nog snel voor ze op weg gaat naar haar andere klant. Als ze even later weer naar het plekje bij het raam kijkt, is het leeg.

Vera probeert zich de site voor de geest te halen die ze bij Jacco op de computer heeft gezien. Marius is op tijd naar de zaak vertrokken en zij heeft zich over zijn laptop ontfermd. Ze typt in het schermpje van de zoekmachine *vakantiepark* en *De Eekhoorn* in, en ziet een flink aantal treffers. Nogmaals typt ze dezelfde woorden, maar nu vult ze die aan met *Dupeur. Uw zoekbewerking – vakantiepark Eekhoorn Dupeur – heeft geen overeenkomstige documenten opgeleverd*, leest ze. Ze verandert Dupeur in Dupuis en opnieuw wordt het computerscherm gevuld met treffers. Zo vindt ze een krantenartikel van ongeveer drie jaar geleden, waarin melding wordt gemaakt van de heropening van De Eekhoorn, dat na de overname door de familie Van Delft een grondige metamorfose heeft ondergaan. In een opwelling typt ze nu *Jacco Dupuis*. Ze houdt haar adem in. Een lange lijst ontvouwt zich voor haar ogen. Als vanzelf klikt ze op de link. Er verschijnt een website van een hotel in Amsterdam. *Frank Harmsen, de opvolger van Jacco Dupuis...* leest ze, en automatisch glijden haar ogen verder over de tekst. Haar blik valt op een andere naam die ze kent: Janita Timmerman. Ze gaat terug naar de zoekmachine en plaatst

Janita's naam achter Jacco Dupuis. Er zijn verschillende treffers. Jaren achtereen hebben Jacco en Janita steeds weer in dezelfde hotels gewerkt. Ze vindt zelfs een foto waar ze samen op staan. Er komen nog meer opmerkelijke zaken naar voren: *Aan de golf van diefstallen in het hotel kwam na ingrijpen van Jacco Dupuis een einde*, leest ze, en ergens wordt gemeld dat Janita de opvolger wordt van de persoon die is ontslagen. Ze neemt de woorden in zich op en kan ze niet geloven. Langzaam maar zeker dringt de waarheid tot haar door. Het was geen toeval dat Jacco niet zo lang na Janita solliciteerde. Het enige toeval was dat zij, in haar verlangen iets van vroeger terug te vinden, hem niet direct de deur wees.

Met Jacco heeft ze het paard van Troje binnengehaald. 'Een vos verliest wel zijn haren, maar niet zijn streken.' Het waren Jacco's eigen woorden. En dan zijn achternaam... Ze is blind geweest.

Er is geen ontkomen aan. Ze kan niet langer zwijgen tegenover Marius. De warmte maakt haar rug plakkerig. Vanuit haar haren glijden zweetdruppels langs haar nek naar beneden. Haar handen voelen klam aan.

Wat heeft ze gedaan? Waarom heeft ze gezwegen en hoe kan ze het in vredesnaam aan Marius vertellen?

De bejaarde dame die bij de receptie staat, heeft voor een week gereserveerd onder de naam Walraven. Onderzoekend neemt ze de hal in zich op terwijl de jongeman die de receptie bemant, haar uitvoerig de gang van zaken in het hotel uitlegt. 'Zal ik iemand vragen om uw bagage naar de kamer te brengen?' wil hij aan het einde van zijn betoog weten.

'Ik ben wel wat ouder, maar nog lang niet seniel,' reageert de oude dame. 'Bovendien zitten er tegenwoordig van die handige wieltjes onder de koffer, zodat ik mezelf prima kan redden.' Als ze de jongeman enigszins bedremmeld ziet kijken, knipoogt ze. 'Ik ben je in ieder geval dankbaar voor je aanbod en uiteenzetting over de huisregels van dit hotel. Als iedereen zo attent is als jij, zal ik hier een

prima verblijf hebben.'
Op dat moment verschijnt Jacco bij de receptie. Hij buigt zich over de balie heen en begint een preek af te steken tegen dezelfde jongeman.
'U bent zeker de baas van dit hotel?' informeert de dame vriendelijk, maar wel zo luid dat Jacco zich moet omdraaien.
Ze zet haar koffer weer neer.
'Kan ik iets voor u doen?' Jacco tracht niets van zijn ergernis te laten merken.
'Ja, ik wil graag antwoord op m'n vraag.' Ze zegt het vriendelijk maar beslist. 'U ziet er zo helemaal uit als de baas van dit hotel, maar het is natuurlijk mogelijk dat ik mij desondanks vergis.'
'Of ik hier de baas ben?' informeert Jacco bevreemd. 'Zo ongeveer kun je het wel stellen. Ik bekleed de functie van general manager.'
De dame klikt met haar tong. 'Dat is een hele mond vol. In dat geval kan ik het compliment aan u doorgeven. Ik ben zeer tevreden over de begroeting van deze jongeman. De entree is op deze manier plezierig en ik verheug me op de rest van de week. Ik heb deze jongeman net al gecomplimenteerd, maar het leek me goed om dit toch ook aan u te melden. U hebt met deze jongeman een uitstekende medewerker met hart voor de zaak in huis.'
'Dat vind ik fijn om te horen. Ik hoop dat de rest van uw verblijf net zo aangenaam zal zijn.'
'Daar ben ik van overtuigd.' De oude dame lacht fijntjes en loopt dan met ferme passen bij hem vandaan. Voordat Jacco zijn preek kan vervolgen, hoort hij ineens 'Tante Simone!' in de gang, en hij weet zeker dat het de stem van Vera is.
Als hij een stap achteruit doet, kan hij precies in de gang kijken waar Vera de oude dame warm begroet. 'Had toch even gezegd dat u wilde komen,' hoort Jacco haar zeggen.
'Het moest een verrassing zijn,' zegt dat pinnige mens.
'Maar waarom verblijft u in het hotel?'
Hij hoort haar antwoord niet meer, probeert zich opnieuw te con-

centreren op het commentaar dat hij de receptionist wil meegeven. De stemmen van Vera en haar tante verdwijnen in de richting van de lift.

De komst van deze oude dame heeft hem onrustig gemaakt, ontdekt hij later op de morgen. Misschien heeft het te maken met de manier waarop ze bij hem informeerde of hij de baas van de zaak was, terwijl ze natuurlijk best weet dat ze daarvoor bij Marius moet zijn. Het voelt alsof ze hem direct al niet vertrouwde, of zou Vera misschien over hem gepraat hebben? En waarom verblijft een tante van Marius en Vera in het hotel en logeert ze niet gewoon bij hen thuis? Dat moet een reden hebben. Wil ze meer weten over het reilen en zeilen in dit hotel? In ieder geval is het misschien verstandig om nu langzaam maar zeker zijn plannen uit te voeren. Vera lijkt ook achterdochtig te worden. Het is maar goed dat er niets bijzonders op zijn beeldscherm te zien was toen ze laatst zo brutaal was om op zijn computer te kijken. Als dat wel zo was geweest, had hij haar waarschijnlijk niet langer kunnen weerhouden om alarm te slaan.
En nu duikt er ook nog een tante Simone op.
Hij baalt verschrikkelijk.

'Komt u straks bij ons thuis lunchen,' inviteert Vera de tante van Marius, maar tante Simone schudt beslist het hoofd.
'Later deze week misschien, maar nu wil ik even rusten en daarna heb ik andere plannen.'
Ze ziet er niet naar uit of ze daar ook maar iets over wil vertellen en Vera durft het niet te vragen. 'Laat u dan zelf weten wanneer het u uitkomt?' informeert ze wel wat bevreemd.
Tante Simone zit op de rand van het bed, haar blik dwaalt door de kamer. 'Dat komt in orde, kind. Wat een schitterend hotel trouwens. En de jongeman van de receptie is zeer voorkomend. Ik heb de complimenten ook al overgebracht aan de baas van dit hotel.'
'De baas?'

'Er stormde een keurige heer de receptie binnen toen ik even met de receptionist stond te praten. Hij droeg een fantastisch kostuum, heel smaakvol, en daaruit concludeerde ik dat hij de baas van dit hotel zou zijn.'
'Tante Simone...'
'Ach, gun een oude vrouw een klein pleziertje. Ik geloof trouwens dat ik de heer in kwestie ook een genoegen heb gedaan. Hij was het wel aardig met me eens.' Ze lacht ondeugend. 'En hij glom bijna van geluk. Maar lieve kind, als je mij nu wilt excuseren. Ik ga een poosje slapen. Overigens hoop ik dat je Marius niet van mijn aanwezigheid op de hoogte stelt. Het moet een verrassing zijn.'
Ze tikt Vera opgewekt tegen haar wang. 'Misschien moet jij het ook even rustig aan doen. Je ziet eruit alsof je een geestverschijning hebt gezien. Of ben je bang dat Marius me eruit zal zetten?'
'Nee, natuurlijk niet, maar...'
'Geen mitsen en maren dan. Ik ben er ook niet bang voor.' Vastberaden trekt ze de rits van haar koffer open. 'En als je me nu wilt verontschuldigen...' Ze glimlacht vriendelijk maar beslist.
Vera weet niet anders te doen dan de kamer te verlaten.

Jetty Drinkwater zit aan tafel en staart naar buiten. Het is haar vandaag te warm om op het balkon te zitten. In huis is het aangenaam, omdat ze al vroeg het zonnescherm heeft laten zakken en de deuren gesloten houdt. Vanaf het balkon van de buren klinkt het vrolijke stemmetje van haar kleine buurjongen, die weer in zijn opblaasbadje zit. Zijn moeder heeft er een makkelijke stoel naast geschoven, zodat ze van de zon kan genieten en de kleine Jelmer in de gaten kan houden. Tegenwoordig hoor je dat steeds meer vrouwen aan het werk blijven na de geboorte van hun eerste kind, maar voor de buurvrouw gaat dat niet op. Tot Jetty's ergernis heeft ze zeeën van tijd om vriendinnen uit te nodigen, die meestel ook kleine kinderen hebben. Het lawaai dat zo'n kinderschare oplevert, houdt haar ook meer dan eens binnen.

In haar tijd was het allemaal anders. Ze was heel vooruitstrevend met haar fulltime baan. Zij werkte niet voor de luxe, zoals veel vrouwen tegenwoordig, voor haar was het pure noodzaak. Ze had geen tijd om vriendinnen uit te nodigen.

Ze kijkt weer naar haar beeldscherm, waarop een slechte foto van Hotel Emma is afgebeeld. *Het meeste personeel was aardig, maar de kamer was niet helemaal schoon*, leest ze als commentaar.

Ze weet dat het onzin is. De kamers in het hotel zijn nieuw en worden elke keer prima schoongemaakt. Het zijn steeds kleine puntjes die negatief naar voren komen, maar de positieve toon van een maand geleden is volledig verdwenen. Het is een tactiek die op alle verschillende sites wordt toegepast. Ze weet vrijwel zeker dat het om één en dezelfde persoon gaat, die blijkbaar een hekel heeft aan Marius of Vera, of aan allebei.

Maar wat kan ze eraan doen? Moet ze een mail sturen naar de beheerders van de site? Zal ze dan niet met veel meer bewijzen moeten komen?

Ze steunt haar hoofd in haar handen. Moet ze dit aan Marius voorleggen? Waarschijnlijk leest hij ze zelf ook. Er zullen veel meer mensen binnen het hotel op de hoogte zijn. Van Vera heeft ze weleens gehoord dat alle leidinggevenden regelmatig willen lezen wat er over hun afdeling wordt gezegd. Vooral complimenten worden erg op prijs gesteld.

Voor de flat stopt een auto. Als er een portier wordt dichtgeslagen, dwaalt haar blik automatisch naar buiten. De auto blijkt een taxi te zijn. De chauffeur loopt om de auto heen om het portier aan de andere kant te openen. Hij helpt een oudere dame uit de auto. Ze blijft naast de taxi wachten tot hij van de achterbank een kleine gebaksdoos pakt, die hij haar overhandigt. Heel even richt ze haar blik naar boven.

Het is alsof de bliksem inslaat. Haastig trekt Jetty zich van het raam terug, bedenkt koortsachtig of ze wel of niet de deur moet openen.

De eerste bel negeert ze, maar de tweede houdt langer aan en maakt

haar nog nerveuzer dan ze al is. Bij de derde bel weet ze dat ze zich net iets te laat van het raam heeft teruggetrokken en dat ze maar beter gewoon kan opendoen.
Met tegenzin opent ze de deur die toegang geeft tot de hal van de flat. Ze luistert naar de voetstappen beneden, die zich in de richting van de lift begeven. Even later zoeft de lift omhoog, de deuren openen zich.
Ze zet zich schrap, probeert een glimlach te forceren als ze de bekende verschijning de lift uit ziet komen. 'Simone, wat een verrassing! Dat is lang geleden. Om eerlijk te zijn, had ik niet verwacht je hier ooit te mogen begroeten.'
'Soms veranderen omstandigheden,' zegt haar voormalige schoonzus opgewekt. 'Ik logeer een weekje in het hotel van je zoon en het leek me een goede gelegenheid om jou eens op te zoeken.'
Met tegenzin doet Jetty een stap achteruit. 'Kom binnen. Het is jammer dat je je komst niet even hebt gemeld, anders had ik iets lekkers voor bij de koffie gehaald.'
'Daar heb ik op gerekend. Die lunchroom van Hotel Emma is heel goed, weet je dat? Ik heb ze vanmorgen twee heerlijke gebakjes in laten pakken.' Triomfantelijk haalt ze een klein kartonnen doosje uit haar tas. 'Ons weerzien moet gevierd worden, lijkt me.' Ze staat op de drempel van de kamer. 'Wel, je hebt het hier heel gezellig ingericht, moet ik zeggen.'
Jetty is blij dat ze zich even in haar kleine keuken kan terugtrekken om koffie te zetten en het gebak op schotels te zetten. Ze haalt diep adem. Simone is vriendelijk genoeg, maar haar voormalige schoonzus kennende, kan dit schijn zijn. Waarschijnlijk komt ze vanwege het overlijden van Edward en het gesprek dat ze daarover met Marius heeft gevoerd. Zij zal Simone duidelijk maken dat ze niet blij is met haar inmenging. Het contact tussen haar en Marius is er zeker niet beter op geworden. Als dat het is wat ze heeft beoogd, dan is haar dat prima gelukt. Met tegenzin gaat ze even later toch naar de kamer, waar Simone net het lijstje met een foto van Gwenn en Britt

in haar handen heeft.
'Wat een prachtige kleindochters heb je,' complimenteert ze Jetty. 'Ze zijn laatst met Vera bij me geweest en ik heb erg van hun bezoek genoten. Wat dat betreft is het toch heerlijk dat je zo dicht in de buurt van het gezin van je zoon woont.'
'Dat houdt niet automatisch in dat ik ze vaak zie,' reageert Jetty stuurs, terwijl ze koffie en gebak op tafel zet.
'Niet?'
'Alsof jij dat al niet lang weet. Hou je maar niet van de domme. Marius is bij je geweest en die heeft je vast wel verteld hoe negatief zijn moeder altijd is en dat hij hier liever niet komt dan wel.'
'Dat heeft hij me niet verteld,' zegt Simone rustig terwijl ze de foto terugplaatst op de plek en op de bank gaat zitten. 'Hij was wel geschokt omdat hij jullie scheidingsverhaal nu eens van de andere kant hoorde. Je zult het me kwalijk hebben genomen, maar ik vond dat Edward het verdiende.'
'Het is jouw woord tegenover het mijne.'
'Het is jouw ervaring tegenover die van mij en ook van Edward,' corrigeert Simone. 'Het is jammer dat jullie scheiding zo'n enorme invloed op jouw leven heeft gehad. Ik had je heel graag weer het geluk gegund.'
'Dat is makkelijk zeggen als je het niet zelf hebt meegemaakt.'
'Ik heb weer andere dingen meegemaakt. Je weet hoe graag Arnold en ik kinderen hadden gekregen. Ons hart stond ervoor open, maar het heeft niet zo mogen zijn.'
'Dat is iets heel anders en dat konden jullie samen delen...' Jetty gaat er fel op in. 'Jullie zijn altijd samen geweest en elke buitenstaander kon zien hoe goed jullie het hadden. Zo had ik het me ook voorgesteld.'
'Daarvoor waren jullie te verschillend.'
'Hè ja, laten we het daarop gooien.'
'Wil je dat ik het op iets anders gooi? Je avances naar Arnold toe misschien?'

Jetty perst haar lippen op elkaar.
'Of je dure levensstijl, waarvoor Edward krom moest liggen?'
'Edward was alleen maar met zijn zogenaamde kunstprojecten bezig,' zegt Jetty. 'Hij dacht nooit aan zijn gezin.'
'Edward probeerde zich te ontwikkelen. Hij hoopte op een doorbraak en zoiets heeft tijd nodig. Die tijd gunde je hem niet,' reageert Simone heftig. 'Je wist hoe hij was toen je met hem trouwde. Je wist dat hij je in financieel opzicht niet hetzelfde kon bieden als je thuis gewend was. Toch wilde je hem koste wat het kost hebben. Misschien heeft de harde houding van je ouders daar voor een groot deel aan bijgedragen. Je wilde je afzetten tegen het milieu waarin je was opgegroeid.' Haar stem wordt zachter. 'Daar heb je een hoge prijs voor moeten betalen.'
'Ik heb mijn ouders nooit meer gezien,' merkt Jetty op. 'Af en toe hoor ik via anderen weleens iets over mijn broers, maar ze voelen geen enkele behoefte om het contact tussen ons te herstellen.'
'Is dit dan niet het moment om het verleden te vergeten? Ik ben hier niet gekomen om je te overladen met verwijten, maar om een einde aan onze onenigheid te maken. We praten nergens meer over en we gaan samen eens kijken wat we voor dat jonge gezin van je zoon kunnen doen. Ik logeer nu net een dag in Hotel Emma, maar ik heb ontdekt dat daar grote problemen zijn.'
Jetty staart haar aan, dan ineens staat ze op en loopt naar haar computer. 'Kom hier maar eens kijken,' zegt ze. Als ze zich even later samen naar het beeldscherm buigen, lijkt alle rancune verdwenen.

16

Een dag later heeft Vera haar vrije dag, maar ze kan er onmogelijk van genieten. Ze heeft een poosje gewinkeld en daarna een tijd doelloos door het park gelopen, de lunch gebruikt op het terras van een Italiaans restaurant in het centrum om daarna weer huiswaarts te keren. Angstige gedachten hebben bezit van haar genomen. Die gedachten hebben haar 's nachts het slapen belet. Ze heeft Marius nog niet durven inlichten over haar verleden en de rol die Jacco daarin gespeeld heeft. En toch moet het gebeuren, voordat de ravage nog groter wordt. Ze moet hem vertellen wat ze op de computer heeft ontdekt. Ze kan niet langer wachten, maar ze is doodsbang voor de reactie van Marius en voor de gevolgen. Hij zal er niets van begrijpen. Stel je voor dat hij wil scheiden...
En wat zijn de gevolgen voor Hotel Emma? Heeft Jacco misschien meer brokken gemaakt dan ze zich nu kan voorstellen?
Ze krijgt het benauwd. Was er maar iemand met wie ze haar gedachten durfde te delen. Iemand die ze kan vertrouwen. Zou ze het aan tante Simone durven voorleggen? Ze is een wijze vrouw, heeft Vera tijdens hun ontmoetingen opgemerkt. Op haar horloge ziet ze dat ze nog een uur te gaan heeft voordat de tweeling weer uit school gehaald moet worden. Zonder er nog langer over na te denken, stapt ze in de auto en rijdt naar Hotel Emma. Het lukt haar om ongezien naar binnen te slippen. De receptionist is in gesprek met een zojuist gearriveerde gast en op de trappen komt ze niemand tegen. Nog even komt het in haar op dat tante Simone op dit tijdstip misschien ligt te rusten, maar dat ze er helemaal niet zou zijn, is geen moment in haar opgekomen, en de teleurstelling weegt zwaar.

Een kwartier later zit ze weer thuis. Doelloos, en nog onrustiger. Ze probeert het een poosje zittend in de tuin uit te houden, maar drentelt al snel weer tussen de borders door. Een poosje later zit ze in de kamer. Ze weet niets beters te doen dan de fotoboeken nog eens door

te nemen. Foto's uit tijden dat hun geluk niet op leek te kunnen. Het voelt nu alsof zijzelf dat geluk om zeep heeft geholpen door te zwijgen, terwijl ze open en eerlijk had moeten praten.
Voorzichtig neemt ze toch ook weer het oudste album voor zich, bladert snel door naar de foto's waar ze samen met Jacco op staat. Misschien moet ze die er eens uit scheuren. In ieder geval moet het boek weer zo snel mogelijk naar de zolder worden verbannen. Langzaam slaat ze de bladzijden om. Waarom heeft ze tegenover Marius nooit met een woord over Chris gerept? Tijdens hun kennismaking hield ze hem voor dat ze weleens een vriendje had gehad, maar dat het nooit serieus was geweest. Marius had haar destijds uitvoerig verteld hoe onzeker hij vroeger was, dat hij zich sinds zijn successen plotseling mocht verheugen in de aandacht van het vrouwelijk geslacht, maar dat hij nooit de ware had gevonden.
Tot hij haar ontmoette.
Wat ze Chris verweet, heeft zij in feite tegenover Marius niet anders gedaan. Ze heeft hem buiten een belangrijk deel van haar leven gehouden. Want de periode met Chris heeft diep ingegrepen.
Heeft ze uit schaamte gezwegen?
Ze steunt haar hoofd in haar handen. Die laatste avond ervoer ze als een enorme vernedering. Nooit meer wilde ze erover praten en door er niet over te praten, meende ze dat het vanzelf zou slijten. Wat had ze zich eigenlijk in haar hoofd gehaald toen Chris ineens opdook? Dat hij haar toch niet had kunnen vergeten? Dat hij veranderd was? Hij is geen spat veranderd, en zij al evenmin. Ze is nog even naïef als twintig jaar geleden.
De klok slaat drie keer en met een schok komt ze terug tot de werkelijkheid. Gwenn en Britt komen bijna uit school. Ze raken in paniek als zij niet staat te wachten. Gehaast zet ze de albums in de kast, het album vol herinneringen legt ze snel boven op de andere. Straks zal ze het naar de zolder brengen, nu moet ze zo snel mogelijk weg.

De tweeling wil zwemmen.
'Iedereen gaat lekker zwemmen,' zegt Britt verongelijkt. 'Het is hartstikke warm.'
'Ik wil naar de Zandplas,' valt Gwenn haar zusje bij.
Vera aarzelt. Rondom haar ziet ze hoe moeders hun kinderen snel naar de auto loodsen, anderen staan klaar met de fiets, handdoeken in de fietstassen. De tweeling heeft gelijk. Het is prachtig weer. Ze heeft haar vrije dag en haar gedachten kunnen wel wat afleiding gebruiken.
'Laten we maar gauw onze zwemspullen halen,' stelt ze voor. 'Op de terugweg halen we pizza's, dat is lekker makkelijk. Papa hoeft vanavond niet te werken. Hij zal het vast ook gezellig vinden.'
Vanavond, als de meisjes naar bed zijn, zal ze het hem vertellen, neemt ze zich voor. Wellicht neemt hij het beter op als ze eerst samen een aangename avond hebben beleefd. Marius is daar gevoelig voor en het komt zijn humeur zeer ten goede. Ze moet maar zien wat ervan komt. Nu verheugt ze zich eerst op een paar ontspannen uurtjes aan de Zandplas.
Tegen halfzes breken ze pas op, gebruind, ontspannen en vrolijk. Voordat ze in de auto stapt, belt ze Marius op zijn mobiele telefoon om te informeren welke pizza hij prefereert. Hij is al een tijdje thuis, meldt hij. Verbeeldt ze het zich, of klinkt zijn stem wat afgemeten?
'Wat jammer dat ik niet wist dat je al zo vroeg naar huis zou komen. Het zou fijn zijn als je er vanmiddag bij was geweest.'
'Misschien was het juist beter dat ik er vanmiddag niet bij was.'
'Is er iets aan de hand, Marius?' De vrolijke ontspannenheid glijdt van haar af en maakt plaats voor een onaangenaam voorgevoel.
'Daar hebben we het straks wel over, en verras me maar met die pizza. De meiden weten vast wel wat ik lekker vind.'
Nu klinkt zijn stem normaal. Misschien heeft ze het zich verbeeld. Ze hoopt het van harte.

'Ik hou van je.' Jacco heeft zijn armen om Janita geslagen. In haar ogen leest hij haar diepste gevoelens voor hem. Hij krijgt de neiging om zijn blik af te wenden.
'Wat bezielt je?' vraagt ze als ze is bijgekomen van de lange kus die op zijn woorden is gevolgd. 'We staan hier gewoon te zoenen.' Ze giechelt.
'Niemand die ons hier in deze kamer vindt,' zegt hij zelfverzekerd. 'Als ze ons missen, gaan ze echt niet alle lege hotelkamers na. Daarvoor zijn er te veel...'
'Maar hoe kom je er zo bij?'
'Vraag toch niet zo veel,' valt hij haar in de rede. 'Een man kan toch naar een vrouw verlangen? Ik verlangde naar je. Ik wilde je vertellen wat ik nog nooit had uitgesproken.'
'Waarom?' Het ontglipt haar en ze signaleert direct zijn ergernis. Ze wilde dat ze haar mond had gehouden. Het grijs van zijn ogen wordt donker, de mond die haar net nog kuste, verhardt zich tot een smalle streep.
'Het spijt me,' zegt ze zacht. 'Jacco, ik weet dat ik dat niet had moeten vragen.' Haar keel knijpt dicht. 'Het spijt me dat ik het je gevraagd heb. Ik wilde... Ik hou gewoon ook zo veel van jou.'
Opnieuw voelt ze zijn lippen op de hare, maar nu zijn ze hard en dwingend. Met zijn lichaam drukt hij haar tegen de muur. Ze kent dit.
Ze wil dit niet.
'Jacco, nee... Niet hier.'
'Ik hou toch van je,' mompelt hij als hij haar mond even loslaat. 'En jij houdt van mij. Waarom zullen we dan niet...'
'Niet hier. Jacco, ik wil dit niet hier en niet zo.'
Ze weet dat hij niet zal stoppen, dat hij verder zal gaan. Ze voelt zijn bezitterige handen al die haar lichaam betasten. Ze houdt van hem, maar niet als hij deze man is. De man die niet naar haar luistert, die op dit moment niet voor rede vatbaar is. Ze weigert.
Woedend slaat ze hem in het gezicht, haar nagels krassen over zijn

wang en in de schrik van het moment, weet ze zich los te maken.
'Dit wil ik nóóit meer!' Ze staat naast de deur met de kruk in haar hand, klaar om te vluchten. 'Al die jaren ben ik blijven hopen tegen beter weten in. Er is er maar één van wie jij houdt en dat ben je zelf.'
Langzaam komt hij weer tot zichzelf. Ze ziet hoe zijn krampachtige houding verandert, hoe zijn schouders zakken, hoe hij naar uitvluchten zoekt die zij vandaag niet zal slikken. Haar blik laat hem niet los en als hij beweegt, opent ze de deur op een kier. 'Als je me aanraakt, ga ik heel hard gillen,' waarschuwt ze hem. 'Waag het dus niet, want ik vertel ze hier alles!'
'Alles?' Hij verandert weer in die man voor wie ze angst voelt. Om zijn mond krult een spottende lach. 'Van de creditcards waarmee je gefraudeerd hebt, van de...'
'Ja, van de beoordelingen op internet die steeds minder lovend worden, van de diefstallen die we Fieneke in de schoenen hebben geschoven. We, Jacco... Jij en ik, oftewel ik op uitdrukkelijk verzoek van jou.'
'Probeer dat maar te bewijzen.'
'Je denkt nu dat je slim bent, hè? Je denkt dat je de wereld in je zak hebt, dat je Vera een loer hebt gedraaid, dat je mij alweer hebt kunnen gebruiken.' Ze zet de deur iets verder open. Er is niemand op de gang. 'Je bent niet slim. Je bent zielig. Je bent zo'n zielige man en dat besef je zelf helemaal niet. Je bent zo eenzaam als wat. Alles wat mooi en kostbaar is, weet jij niet op waarde te schatten. Vriendschappen breek je af als het je uitkomt, mensen gebruik je en hun liefde misbruik je. Eigenlijk heb je hulp nodig, want die jeugd van jou is altijd in je blijven zitten.'
'Mijn jeugd...' Ineens is er iets van onzekerheid in zijn houding. 'Wat weet jij nou van mijn jeugd?'
'Ik weet dat die eenzaam is geweest en die eenzaamheid draag jij nu al je hele leven mee. Ik weet zeker dat Vera dat vroeger al heeft ontdekt en dat ze daar twintig jaar geleden al een einde aan had willen maken. Je hebt haar als vuilnis aan de kant gezet.'

‘Probeer je nou de psycholoog uit te hangen of lijkt dat zo?’ Ze leest de onzekerheid door zijn spot heen.
‘En toch kon je haar niet vergeten,’ vervolgt ze meedogenloos. ‘Je moest haar vinden. Ik weet niet hoe je het flikte, maar je hebt haar altijd weten te traceren. Je wist steeds weer waar ze mee bezig was. En hier had je geluk, want Vera was jou blijkbaar ook nog niet kwijt. Ze nam je zomaar aan.’
‘Ik vind het een geweldige theorie, maar het blijft theorie, en misschien moet jij toch maar gewoon in de bediening blijven werken, want als psycholoog doe je het niet zo goed. Kijk eens naar jezelf. Al die jaren bleef je jezelf maar aan me opdringen.’
Het zijn bittere woorden, die haar keihard raken. Ze heeft altijd geweten dat hij niet van haar hield, al zei hij zelf steeds weer dat ze het verkeerd zag. Hij hield alleen van haar als zijn hormonen het van zijn verstand wonnen. Hoelang blijft een mens hopen tegen beter weten in? Waarom heeft ze zich zo laten vernederen, steeds weer?
Op het moment dat zijn harde blik de hare vangt, heeft ze waarschijnlijk het belangrijkste besluit van haar leven genomen: ‘Ik ga naar boven. Ze verwachten me in La Vista. Als mijn dienst erop zit, zal ik Marius een officiële ontslagbrief schrijven. Ik raad je aan om dat ook zo snel mogelijk te doen.’ Ze slaat haar ogen niet neer. Voor het eerst is ze haar angst voor hem kwijt. Het dringt tot haar door hoe ze onderhuids altijd bang voor hem was. Jacco, de man met twee gezichten. Enerzijds charmant en vrolijk, anderzijds bezeten van de gedachte dat het leven volgens zijn regels moet verlopen. Als iemand die regels overtrad, verdween zijn glimlach en begon de angst van die ander.
Nog één keer kijkt ze naar hem. Hij ziet het en recht zijn schouders, probeert zelfverzekerd en spottend te glimlachen. De man in het dure maatpak.
De man met het koude hart.
Ze huivert en voelt zowel opluchting als een enorme leegte nu ze hem daar in die kamer achterlaat.

Als Vera met de pizza's achter de meisjes aan de huiskamer binnenkomt, slaat haar hart over. Marius zit aan tafel. Voor hem ligt een stapel fotoboeken. Hij is bezig met het boek dat ze vanmiddag achteloos op de andere albums heeft gelegd. Waarom heeft ze het niet direct weer naar zolder gebracht?
Ze ging ervan uit dat ze vandaag nog tijd genoeg zou hebben om het te verstoppen. Toen de meisjes zeiden dat ze wilden zwemmen, heeft ze er nooit meer aan gedacht. Bovendien is Marius nooit zo vroeg thuis en ze kan zich niet herinneren dat hij ooit belangstelling voor die boeken heeft getoond. Waarom heeft ze vanmiddag ineens zo ondoordacht gehandeld?
Marius schuift de boeken aan de kant als Gwenn hem in geuren en kleuren begint te vertellen van de heerlijke middag aan de Zandplas, daarbij geholpen door Britt, die haar zusje aanvult als die in haar ogen niet volledig is.
Stilletjes dekt zij buiten de tafel, probeert het gezellig te maken, want de meisjes mogen niets merken. Het kost haar een enorme inspanning om aan de gesprekken deel te nemen en om de schijn van vrolijkheid op te houden. Marius slaagt daar veel beter in. Schijnbaar zorgeloos maakt hij grapjes met de tweeling, lijkt te genieten van zijn pizza pepperoni, die volgens hem de lekkerste is die hij ooit heeft geproefd.
Haar ligt de pizza als een steen op de maag. Ze zou willen dat de meisjes maar in bed lagen, zodat ze eindelijk kunnen praten. Tegelijkertijd hoopt ze dat gesprek nog heel lang voor zich uit te schuiven.
'Ik breng jullie naar bed,' zegt Marius na het eten.
'Ook voorlezen, hoor,' bedisselt Gwenn direct.
'Natuurlijk. Geef mama nu maar een kus.'
Hij heeft haar niet aangekeken. Niet tijdens het eten, nu net zo min. Even voelt ze iets van opluchting als hij met de tweeling naar boven vertrekt, maar de beklemming is ook direct weer terug. Automatisch zet ze de borden in de vaatwasser, neemt de tafel af, zet koffie en

wacht buiten totdat hij komt.
Boven klinkt zijn stem. Ze hoort Britt heel hard lachen, ze zingen met z'n drieën een gek liedje. Elke voorbijganger zou er een gelukkig gezin in horen. Alleen zij voelt Marius' opgelegde vrolijkheid als dreiging.
Tegen de tijd dat hij weer beneden komt, heeft ze het gevoel dat ze zal flauwvallen van de spanning. Zwijgend zet hij zich achter zijn koffie, die ze even daarvoor heeft ingeschonken. Hij heeft het fotoalbum meegenomen en slaat tergend langzaam bladzijden om, alsof hij elk detail van de foto's van belang acht. Zij zoekt naar woorden, maar ze blijven aan haar verhemelte plakken. Elk woord zal een aanklacht tegen haarzelf vormen. Nu weet ze helemaal zeker dat ze alles anders had moeten aanpakken. Wat ze nu ook zegt, hij zal het niet geloven. Hij zal haar nooit meer geloven. De kloof tussen hen zal onoverbrugbaar worden en blijven.
'Marius...' begint ze zachtjes.
Hij kijkt niet op, slaat een bladzijde om. 'Of Jacco heeft een tweelingbroer met wie je het in het verleden wel heel goed hebt kunnen vinden, of hij heet eigenlijk Chris,' hoort ze hem zeggen.
'Hij noemde zich vroeger Chris. Officieel heet hij Christiaan Jacco.'
'Vroeger is al heel lang geleden, hè?'
'Twintig jaar...' Voorzichtig probeert ze haar verhaal te vertellen. Ze schildert het meisje dat ze was, haar prille liefde voor Jacco die toen nog Chris heette, hun ruzie en de vreselijke tijd daarna. Ze vertelt hem over de roddels en de berichten in de krant.
'Onze general manager is dus gewoon een crimineel,' concludeert Marius aan het einde van haar verhaal. 'En waarom heb je me daar nooit iets over verteld?'
'Het was voorbij,' zegt ze zacht.
'Voorbij? Dat was ook de reden waarom je ermee instemde dat hij werd aangenomen? Je meende dat hij nu een onschuldig lam was geworden? Waarom solliciteerde hij hier eigenlijk? Had je hem dat aangeraden? Wilde je verdergaan waar je destijds was gebleven?'

'Daar is geen sprake van. Dat weet jij net zo goed als ik.'
'Dat meende ik te weten. Ik meende je te kennen, maar ook dat had ik fout. Vera, we hebben die man in huis gehaald en hij had gewoon een strafblad waar jij van wist. En het ging niet om een klein voorvalletje, een jeugdzonde, maar om iets heel groots. Joris twijfelde nog aan Jacco. Ik wilde hem aannemen met de wetenschap van toen. Met wat ik nu weet, had hij geen schijn van kans gehad. Geen schijn, begrijp je dat? Als er hier iets gebeurt...'
'Fieneke...' Nu moet hij ook maar alles weten. 'Ik denk niet dat Fieneke de dader van die diefstal was. Ik heb het op internet nagezocht. Janita en Jacco horen bij elkaar. In de hotels waar ze werkten, werd gestolen, en Jacco wist het altijd op te lossen.'
Even is Marius stil, om tot zich door te laten dringen wat en wie Jacco precies is. 'Hij kwam elke morgen met cijfers en die cijfers bleven maar kelderen,' zegt hij toonloos. 'We moesten bezuinigen, volgens hem. Ik begreep het niet. We zitten met die crisis, maar in heel veel horecabedrijven gaat het wel goed. Die cijfers kloppen misschien niet. Jacco heeft gefraudeerd bij het leven en ons hotel staat op de rand van de afgrond.'
En alsof het hem ineens helemaal duidelijk wordt wat de rol van Vera daarin is, vervolgt hij: 'Straks zijn we misschien alles kwijt omdat jij maar rond bleef zeulen met dat verleden. Op de dag dat hij werd neergestoken, heb jij jezelf verraden. Je hebt die man nooit los kunnen laten en misschien ging je wel weer van hem houden toen je hem tijdens dat sollicitatiegesprek ontmoette!' Hij spreekt steeds luider. Ze wil hem vragen of hij wat zachter wil praten omdat de tweeling wakker zal worden. Zijn stem lijkt wel tot de straat te dragen. Een passerende fietser kijkt hun kant op.
'Het is onzin,' verweert ze zich. 'Ik hou niet van hem!'
'Dan had je niet zo gehandeld!' Hij staat op. 'Alles staat op instorten, Vera. Straks ben ik alles kwijt waar ik jaren voor heb gewerkt, maar dat is het ergste nog niet: ik ben jou kwijt.'
'Je bent me niet kwijt...'

'Jawel, ik ben mijn vertrouwen in je kwijt.' Zijn stem slaat over. 'Hoe heb je al die tijd kunnen zwijgen? Zo kunnen we toch niet verdergaan? Waarom heb je niet aan onze kinderen gedacht?'
'We komen hier uit,' probeert ze met de moed der wanhoop. 'Morgen beginnen we naar de mogelijkheden te kijken om Jacco te ontslaan. We gaan zijn gangen na...'
'Het is veel erger dan jij denkt, veel erger!'
'Voor alles is een oplossing. We komen er samen...'
'Er is geen samen meer! Géén sámen meer!' Hij brult de woorden uit. Ze schrikt van de blik in zijn ogen.
'Laten we er rustig over praten.'
'Ik ben klaar met praten. Ik kan je niet meer zien!'
Ze staat heel stil terwijl hij naar de garage loopt. Als in een film ziet ze de garagedeur opengaan, even later lichten de achteruitrijlampen van Marius' auto op. Ze neemt geen deel meer aan het geheel. Met de ogen van een toeschouwer neemt ze het in zich op, niet in staat er nog iets aan te veranderen. Pas als de auto de weg op rijdt, dring het werkelijk tot haar door: Marius is weg en ze weet niet wat ze moet doen.

Het is nog heel lang licht en dan kan Gwenn niet slapen. Ze luistert naar de stemmen op het terras, die via het geopende raam binnenkomen. Eerst hoort ze de stem van haar moeder, die zachtjes praat. Ze probeert te slapen, net zoals Britt in het bed naast haar. Haar zusje slaapt altijd bijna direct nadat mama naar beneden is gegaan. Zij luistert nog een hele poos naar de vogels, en soms gaat ze stiekem tekenen of koppeltje duikelen op haar bed. Dat moet ze dan wel heel zachtjes doen, zodat Britt niet wakker wordt.
Vanavond was papa er eindelijk weer eens. Ze vindt het altijd fijn als hij er is. Er is ook niemand die zo mooi kan voorlezen als hij.
Nu praat haar vader. Ze hoort hem duidelijk. Zijn stem klinkt steeds luider. Het lijkt wel alsof hij boos is.
Ze wordt er een beetje bang van en kan het in bed niet meer uit-

houden. Stilletjes glipt ze eruit en ze klimt op een tafeltje dat ze voor het raam heeft geschoven. Papa staat op het pad en nu schreeuwt hij. 'Kwijt,' hoort ze nog net. Hij is dus iets kwijt en daar is hij hartstikke boos om.
'Géén sámen meer!' Die woorden hoort ze heel duidelijk, maar ze begrijpt ze niet. Wel ziet ze zijn boze stappen als hij naar de garage loopt. Hij gaat weg. Vanavond na het voorlezen heeft hij nog gezegd dat hij niet weg zou gaan, en nu gaat hij toch. Ze voelt zich verdrietig en begrijpt zelf niet waarom. Misschien komt het omdat haar moeder zo raar op het pad blijft staan. Lijkt het nou zo, of huilt mama echt? Ze heeft haar handen voor haar gezicht geslagen.
Ze huilt echt en dat komt door papa.
Papa moet terugkomen om mama te troosten. Hij heeft haar ook beloofd dat hij niet weg zou gaan. Stilletjes glipt ze in haar slippers, die voor het bed staan. Mooie roze slippertjes heeft ze, met een grote wit met roze bloem in het midden. Papa is zeker weer naar het hotel. Ze gaat hem ophalen. Hij heeft beloofd dat hij niet zou gaan en hij moet mama troosten.
Als Vera naar achteren loopt, weet Gwenn het slot van de voordeur open te draaien en ze glipt stilletjes naar buiten.

17

Nog steeds is het niet volkomen donker en de warmte van overdag blijft nog wat hangen. Vera zit op het bankje in de achtertuin. Gedachten maken haar duizelig: zorgen over Marius die na een uur nog niet terug is, verwijten aan zichzelf, schuldgevoel, zorgen over de toekomst, over haar kinderen, angst voor de dag van morgen. Ze zou naar bed willen gaan, maar blijft op omdat ze hoopt dat Marius toch echt zo terug zal komen. Natuurlijk is hij naar Emma, daar twijfelt ze niet aan. Marius gaat altijd naar zijn werk als hij met problemen zit, daar zal deze avond geen uitzondering op zijn. Ze heeft getwijfeld of ze hem op zijn mobiele telefoon zal bellen, maar heeft dat nog even uitgesteld.
Het zal vast niet lang meer duren voordat hij terug is. Ze moeten samen rustig praten. Zal hij naar haar willen luisteren? Zal hij haar geloven als ze hem vertelt dat ze voor Jacco echt geen liefde voelt? Er is maar één man in haar leven en dat is Marius. Ze moeten er samen uit zien te komen. Zelfs als ze op zakelijk gebied helemaal onderuit gaan, moeten ze het samen aan kunnen. Ze hadden altijd een twee-eenheid gevormd.
Ze spreekt zichzelf moed in om de paniek te overstemmen die met elke seconde toeneemt. Als ze geluiden hoort vanuit de kamer, schrikt ze op. Ze heeft de auto van Marius niet gehoord en hoopt toch dat hij het is, tegen beter weten in.
'Is Gwenn bij jou?' Britt staat slaapdronken in de deuropening.
'Gwenn? Bij mij? Gwenn ligt in bed.' Ze veert verschrikt op.
Als ze naar het witte gezichtje van Britt kijkt, ziet ze al dat het niet waar is. 'Ja toch? Gwenn ligt toch gewoon in bed?'
'Gwenn is weg en Gwenns slippers ook. Mag ik een beetje drinken?'
Vera wil het niet geloven, maar voordat ze met twee treden tegelijk de trap op rent, weet ze zeker dat het waar is, en nu kan ze de paniek niet langer weren. Paniek die nog meer opvlamt als ze het lege bed van Gwenn ziet en de slippertjes mist die ze elke avond met zo veel

zorg bij het bed neerzet. Haar lievelingsslippers. De voordeur is van het slot, ontdekt ze een paar tellen later. Ze opent de deur en kijkt het lege pad af, alsof ze hoopt nog een spoor van Gwenn te ontdekken.

'Ik heb dorst,' jengelt Britt.

'Hoelang is Gwenn al weg?' wil ze weten, terwijl de paniek zich een weg door haar lichaam vreet en het haar niet lukt om helder na te denken.

'Dat weet ik toch niet?'

'Weet je wat? Neem maar wat te drinken. Mama gaat papa bellen.'

Ze toetst zijn nummer in, voelt zich nog wanhopiger worden als ze zijn voicemail hoort. In gedachten ziet ze Gwenn in haar nachtpon en met haar roze slippertjes over straat lopen. Een straat waar het gevaar aan alle kanten loert. Als ze toch maar niet door iemand meegenomen wordt die...

Ze vermant zich, belt naar de receptie van Hotel Emma, krijgt een opgewekte Annika aan de telefoon. 'Meneer Goedhardt? Nee, die heb ik niet gezien. Wacht, meneer Dupeur is hier nog. Ik zal hem vragen of hij...'

'Niet Jacco...' wil ze zeggen, maar er komt geen geluid uit haar mond en ze hoort Annika al praten. Even later klinkt Jacco's stem. Ze probeert zich te beheersen. 'Niet Jacco... Juist hij niet. Hij mag het niet weten.'

'Is er iets aan de hand, Veertje?'

'Marius...' Ze barst in snikken uit. 'En Gwenn is weg en ik heb niets gemerkt. Ze loopt misschien in haar nachtpon op straat en ik kan Marius niet bereiken en Britt niet alleen laten, maar ik ben zo bang... Jacco, ik ben zo bang.'

'Heb je de politie al gebeld?' informeert hij zakelijk, en op haar ontkennende antwoord: 'Dan ga jij dat nu doen. Ik ga eropuit. Heb je enig idee waarom Gwenn weggelopen is en waar ze heen kan zijn gegaan?'

Het is vreemd, maar ze wordt al rustiger nu er iemand met haar mee

denkt. 'Ik denk dat ze Marius zoekt. Ze zal misschien hebben gemerkt dat hij weg is gegaan.'
'Dan is het goed mogelijk dat ze richting hotel is gegaan. Of weet ze waar Marius naartoe is?'
'Ik weet het niet eens.'
'Bel de politie maar. Het komt vast goed, Vera. Niet de hele wereld is slecht.'
'Als ze er één tegenkomt...'
'Bel de politie maar. We moeten in ieder geval geen tijd meer verliezen. Als ik Marius toevallig tref, zal ik hem vertellen dat hij thuis nodig is.'
Zijn woorden verwonderen haar niet eens.

Jacco beent met grote stappen het kantoor van Marius uit.
De stilte op de gangen, die hij normaal op dit uur wel weet te waarderen, maakt hem nu onrustig. Het is duidelijk dat Marius hier niet is en niet is geweest ook. Waar is hij dan naartoe gegaan, en nog belangrijker, waarom is hij weggegaan zonder Vera te vertellen waarheen? En Gwenn is hem gaan zoeken.
In ieder geval moet hij haar vinden. 'Ik vin jou wel lief,' zei ze gisteren nog tegen hem en haar zusje deed dat nog eens dunnetjes over. Het ontroerde hem op een vreemde manier. Zo kent hij zichzelf helemaal niet. Er zijn in zijn leven regelmatig vrouwen geweest die beweerden dat ze van hem hielden. Hij raakte nooit onder de indruk. Maar die twee kleine, blonde, bijna identieke meisjes hebben hem gisteren geraakt.
'Ik zal je bellen als ik hier Marius tref of dat dochtertje van hem zie binnenkomen,' belooft Annika voordat hij de late avond in stapt. Hij aarzelt, weet even niet waar hij moet beginnen. In gedachten legt hij de route tussen de Thomas à Kempislaan en Hotel Emma af. Met de auto ben je er zo, maar op de kleine beentjes van Gwenn? En weet ze hoe ze moet lopen? Ze rijdt altijd in de auto mee.
Moet hij ook de auto nemen of kan hij beter gaan lopen? Hij besluit

toch tot de auto, rijdt langzaam door de straat, tuurt in portieken, stapt af en toe uit. De angst van Vera begint ook bij hem toe te slaan. Hij probeert beelden te verjagen van een aardige man die Gwenn meeneemt, hij ziet krantenkoppen voor zich, foto's van andere kinderen die vermist werden en ergens in een bos teruggevonden werden.

'Ik vin jou wel lief,' zei ze. Zo'n klein, onschuldig meisje mag niets aangedaan worden. Bij de autoweg aarzelt hij. Zal ze niet binnendoor gegaan zijn? Moet hij niet uitstappen? Hij rijdt toch door. Gwenn kent die weg binnendoor waarschijnlijk helemaal niet. Er rijdt een auto vlak achter hem. De bestuurder neemt hem zijn lage snelheid niet in dank af en zodra hij kan, haalt hij in. De opgestoken middelvinger ontgaat hem totaal. In een paar seconden is de auto al een heel eind verder. Zijn blik glijdt over de bijna lege parkeerplaats van een klein restaurant. Misschien moet hij toch van de weg af. Ze kan makkelijk ergens afgeslagen zijn. Zou de politie al gearriveerd zijn bij Vera? Zou ze Marius al bereikt hebben? Hij moet ineens toch op de rem voor de auto die even daarvoor nog met zo'n snelheid langs hem heen jakkerde. Nu staat de auto dwars op de weg en de bestuurder staat tegen een klein meisje op roze slippertjes te schreeuwen. 'Ben jij nou helemaal gek geworden?'

In een paar tellen is hij de auto uit. De andere bestuurder houdt een klein meisje bij de arm vast. 'Ik had je wel dood kunnen rijden!'

'Gwenn!'

'Is dat jouw dochter?' De man bindt wat in. 'Je hebt geluk, ze stak zomaar over en dat op dit tijdstip... Ik ben me rot geschrokken.' Hij heeft haar losgelaten.

Jacco loopt op haar toe. Hij vangt haar op en drukt haar tegen zich aan. 'Gwenn toch...'

Ze legt haar hoofdje op zijn schouder. Hij ruikt de vage geur van shampoo, haar haren kriebelen tegen zijn wang. Nooit eerder heeft hij zo veel liefde gevoeld.

Als hij de Thomas à Kempislaan in rijdt, ontdekt hij politiewagens. De auto van Marius staat op de inrit voor de garage. Hij signaleert het allemaal als hij het portier van de auto opent en Gwenn voorzichtig van de achterbank tilt. Ze slaapt al bijna. Teder drukt hij haar tegen zich aan. 'Ik heb haar gevonden,' zegt hij tegen de agente die voor het huis staat.
'U hebt haar gevonden?' Ze werpt een blik op Gwenn, die opnieuw haar hoofd vol vertrouwen op Jacco's schouders laat rusten. 'Dat is geweldig nieuws, komt u verder.'
Jacco schudt zijn hoofd. 'Misschien wilt u haar overnemen?'
Op dat moment ziet hij Marius het huis uit komen.
'Ze is hier! Uw dochtertje is gevonden!' roept de agente. 'Deze meneer...'
'Goddank,' hoort hij Marius zeggen. Heel even staan ze tegenover elkaar.
'Papa, je bent weer terug,' verzucht Gwenn tevreden. 'Ik had je gezocht.'
Marius strekt zijn armen uit. Hij drukt zijn dochtertje tegen zich aan zoals Jacco kort daarvoor nog heeft gedaan. 'We waren zo ongerust,' hoort Jacco hem zeggen.
Hun blikken kruisen elkaar heel even. 'Bedankt,' zegt Marius schor voordat hij zich omdraait en het huis weer inloopt.
'Wilt u niet naar binnen?' vraagt de agente. 'Mevrouw zal dolgelukkig zijn, ze zal u willen bedanken. Begrijp ik nu dat u de familie kent? Waar hebt u haar gevonden?'
Hij glimlacht om al haar vragen. 'Langs de autoweg,' antwoordt hij kort. 'Ze stak zomaar over en zat bijna onder de auto voor me. Ik ben blij dat ze terug is, maar ik ga nu naar huis. Ik ben een goede vriend van de familie. Mevrouw hoeft me niet te bedanken, ik had nog een schuld uitstaan.'
Als de agente naar zijn gezicht kijkt, weet ze dat het beter is om niet langer aan te dringen.

Juni is op weg naar de kortste nacht. Samen met Marius ziet Vera het weer dag worden nadat ze nog uren in de tuin hebben gezeten en samen hebben gepraat. 'Er is één ding dat Jacco me steeds weer voorhield,' merkt Vera op als een merel zijn ochtendlied aanheft. 'Hij vond dat ik me veel meer moest bemoeien met onze zaak. Ik heb die suggestie direct van de hand gewezen, maar in mijn gedachten heeft het toch veel meer vaste vorm aangenomen. We deden altijd alles samen, maar met Hotel Emma is er iets fout gegaan. Dat had misschien met de komst van de kinderen te maken of de grootte van het project. Hoe het nu ook verdergaat, of we Hotel Emma kunnen behouden of niet, ik wil het met je delen. Als de tijden beter worden, wil ik graag een opleiding op het gebied van wijnkennis volgen. Als ik zo'n wijncertificaat heb, kan ik misschien nog een jaar doorgaan voor sommelier, zodat ik op dat gebied meer zelfvertrouwen krijg.'
'Hotel Emma staat op instorten, Vera,' helpt Marius haar herinneren.
'Ik weet het en ik vind het nog steeds heel erg dat je dat niet met me hebt gedeeld. Ik zal je nooit een mislukkeling vinden. Het huwelijk van je ouders was niet goed. Dat was de reden dat je moeder altijd zo negatief over je vader oordeelde. Tussen ons is het wel goed en dat moet zo blijven.'
'Ik ben zo bang geweest toen ik thuiskwam en al die politiewagens zag staan,' bekent hij nu. 'Ik kon het me niet voorstellen, maar ik was toch even bang dat jij zo wanhopig was... Ik had het mezelf nooit vergeven.'
'Pijnig jezelf niet langer met dat soort gedachten.' Ze streelt zijn arm. Zijn haartjes voelen zacht aan. 'We hebben allebei een vreselijke avond doorgemaakt en de komende tijd zal ook niet makkelijk worden, maar we gaan er samen voor. Laten we dat blijven vasthouden. Misschien moeten we dan nu maar naar bed gaan. Morgen moeten we beginnen met puinruimen. Ik bel alvast onze advocaat om te informeren hoe we dat het beste kunnen aanpakken. Jacco zal zelf ook begrijpen dat hij niet kan blijven. Een open en eerlijk gesprek is het beste. Ook daar wil ik graag bij zijn. Ik denk dat ik nu voor het

eerst in twintig jaar werkelijk het gevoel heb dat aan het verhaal van Jacco een einde is gekomen. Ik dacht dat het verleden voorbij was, maar doordat ik er nooit echt over heb gepraat, bleef het op de achtergrond spelen. Nu kan ik zeggen dat het voorbij is, voltooid en vergeten...'
'Vergeten?'
'Op dit moment nog niet, maar als het puin geruimd is, kan ik het achter me laten en vergeten. Daar ben ik van overtuigd. Misschien moeten we nu toch maar een paar uurtjes naar bed voordat we morgen aan onze taak beginnen.'
'Blijf jij morgen maar een poosje liggen.' Marius staat op en trekt haar ook omhoog uit de stoel. 'Ik zal zorgen dat de meisjes naar school komen. Ze zullen het vast geweldig vinden...'
Ze protesteert niet.

Tante Simone denkt er de volgende ochtend anders over. Om halfnegen hangt ze al aan de telefoon. 'Ik heb voor vanavond een tafel gereserveerd in restaurant De Watermolen,' meldt ze opgewekt terwijl ze net doet alsof ze de slaperige stem van Vera niet opmerkt. 'Dat is een gezellig familierestaurant, waar ook de kinderen zich op hun gemak zullen voelen. Gisteravond heb ik er samen met je schoonmoeder gegeten en het is ons allebei heel goed bevallen. Vanavond willen we dat graag nog eens in jullie gezelschap overdoen. Ik verwacht jullie om zes uur, zodat het voor de kinderen niet te laat wordt.'
Ze klinkt alsof het geen enkele zin heeft om te protesteren. Slaperig stemt Vera toe, te moe om zich te verwonderen over het gezamenlijke diner met tante Simone en haar schoonmoeder. Al snel doezelt ze weer weg.

Ze is vandaag wat aan de late kant, de oudere dame van de lunchroom, en ze meldt Karin direct dat ze dit keer geen gebakje wil. Haar plekje bij het raam is weer bezet. Ze gaat op het plekje ernaast zitten,

staart een poosje naar buiten, waar een sluier van bewolking de zon belet om door te breken. Na een uur bestelt ze een volgend kopje. 'Ik ben blij dat ik jou weer tref,' zegt ze als Karin met haar bestelling aankomt. 'Weet je, er zijn maar zo weinig mensen die je kunt vertrouwen, en jou vertrouw ik. Jij ziet er niet uit als iemand die altijd alles doorkletst. Bij jou kan ik wel een geheim kwijt.'
'Een geheim?' informeert Karin wat ongemakkelijk.
'We hebben het laatst over meneer Dupeur gehad.' Ze is op fluisteren overgegaan.
'Wat zegt u?'
'Meneer Dupeur,' herhaalt ze iets luider.
'Ach, meneer Dupeur... Tja, er is nogal iets...'
'Is er iets met meneer Dupeur?'
De bezorgdheid van de vrouw ontgaat Karin. Blij dat ze de sensationele gebeurtenissen met iemand kan delen, buigt ze zich naar de vrouw toe: 'Het is eigenlijk geheim, maar meneer Dupeur is met de noorderzon vertrokken. Hij schijnt een behoorlijke puinhoop achter te hebben gelaten. Niemand begrijpt er iets van.' Ze vertelt het verhaal zo smeuïg mogelijk. 'Begrijpt u dat nou?' eindigt ze. 'Dat iemand die zo veel vertrouwen geniet, zoiets kan doen?'
'Sommige mensen lijken niet anders te kunnen,' zegt de vrouw. Haar bleekheid ontgaat Karin. 'Overal laten ze een puinhoop achter, steeds weer.'
Iemand roept om Karin. 'Ik moet weer gaan,' zegt ze haastig. 'Niet verder vertellen, hoor.'
De volgende dag blijft de plek voor het raam leeg. De dag erna ook. Drie dagen later denkt niemand meer aan de vriendelijke dame die zo graag voor het raam zat.

Tante Simone heeft niets te veel gezegd. Restaurant De Watermolen is een echt familierestaurant, maar de bediening leidt Vera met haar gezin naar een tafeltje achteraf. Ze durfde de uitnodiging van tante

Simone bijna niet aan Marius over te brengen, maar toen ze omzichtig begon, viel hij haar in de rede: 'Ik weet het, ik weet het. Mij heeft ze ook gebeld. Dat kunnen we er nog net bij hebben. Een etentje met mijn moeder en tante Simone, daar zit ik na een dag als vandaag echt niet op te wachten. Maar weet je wat zo gek is? Geen haar op mijn hoofd heeft ook maar overwogen om te weigeren. Mijn dierbare tante Simone had overste in het leger moeten worden. Niemand durft haar tegen te spreken.'
Zo zijn ze deze dag met frisse tegenzin naar De Watermolen getrokken. Alleen de kinderen verheugen zich. Het treft Vera hoe blij Gwenn en Britt zijn met hun gezamenlijke uitstapje. Gwenn is niet weg te slaan bij Marius, alsof ze bang is dat hij alsnog zal vertrekken.
Aan de ruime tafel wachten tante Simone en Jetty al. De tweeling krijgt toestemming om eerst een poosje in de bijbehorende speeltuin te spelen voordat het eten op tafel komt. 'Voordat ik van wal steek, wil ik eerst graag jullie verhaal horen,' zegt tante Simone. 'Die meneer Dupeur... Die naam alleen al. Hebben jullie op school zitten suffen tijdens de Franse lessen of zo? Zelfs met een beetje schoolfrans moet je toch weten dat dupeur gewoon bedrieger of fraudeur betekent? Alle alarmbellen hadden moeten gaan rinkelen toen hij zich voorstelde. Het leek wel alsof hij direct door de mand wilde vallen met die valse naam, want natuurlijk was die naam vals. Dit is zo'n man die op een gegeven moment zelf niet meer weet hoe hij heet. Wat heeft jullie toch bezield? Wilden jullie graag opgelicht worden of lijkt het zo?' Ze kijkt Vera vorsend aan.
Vera opent haar mond om de schuld op zich te nemen en haar verhaal van twintig jaar geleden aan tante Simone te vertellen, maar voelt hoe Marius met zijn arm zachtjes tegen de hare port. 'We zijn ongelooflijk stom geweest,' begint hij. 'En veel te goed van vertrouwen. U hebt aan alle kanten gelijk.'
Ze luistert als hij het verhaal vertelt zonder over twintig jaar geleden te beginnen en door zijn woorden klinkt wat hij haar wil zeggen: laten we er niet meer over praten, het is voorbij en vergeten.

'Zijn voorganger was geweldig,' eindigt Marius even later zijn verhaal. 'We gingen ervan uit dat we Jacco ook de vrije hand konden geven. Natuurlijk waren we veel te goed van vertrouwen en daar heeft hij gruwelijk misbruik van gemaakt. Hij heeft valse facturen verstuurd, waarop zijn eigen rekeningnummer gedrukt stond. Zijn vriendin Janita gebruikte nummers van creditcards voor het doen van inkopen voor zichzelf. Jacco sloeg Marius dagelijks om de oren met teruglopende cijfers. Daarbij kon hij handig gebruikmaken van die slechte recensie van Andreas ter Brugge. Die cijfers waren vals en moesten de teruglopende inkomsten verklaren die we alleen aan Jacco te wijten hadden. Die Janita droeg haar steentje ook nog bij door met die beoordelingen op internet te frauderen. Ze werden steeds minder positief.'

'Dat ben ik al aan het uitzoeken,' zegt Jetty ineens. 'Het is al een tijd een gewoonte van me om die beoordelingen over jullie hotel te lezen. Ik vond het raar dat al die mooie verhalen ineens een stuk minder mooi werden. Inmiddels had ik al mailtjes gestuurd naar de contactadressen van dat soort sites om eens te informeren hoe ik erachter kon komen wie dat op zijn geweten had. Niemand heeft de moeite genomen daarop te antwoorden.' Ze zegt het verontwaardigd. 'Maar ik was niet van plan om het daarbij te laten zitten. Ik laat het werk van mijn zoon toch niet kapotmaken...'

Ze ziet niet hoe Marius naar haar kijkt. 'Doe je dat echt, ma?' informeert hij. 'Kijk je werkelijk steeds naar die reviews?'

Als ze heftig knikt, legt hij heel even zijn hand op de hare.

'Tot zover het slechte nieuws,' neemt tante Simone nu het woord over. 'De afgelopen dagen heb ik mijn ogen niet in de zak gehad en ik had al snel in de gaten dat er iets goed mis was. Hotel Emma heeft te veel lege kamers. In de ontbijtzaal kon je soms een kogel afvuren zonder iemand te raken. Dat vond ik een heel slechte zaak. Ik heb daarom hier en daar eens mijn licht opgestoken en ik denk dat er veel moet veranderen.'

'Ons hotel staat op instorten,' zegt Marius somber. 'Er valt nog maar

weinig te veranderen. Ik denk dat we zo snel mogelijk moeten verkopen.'
'Geen sprake van.' Met een beslist gebaar wuift tante Simone zijn voorstel weg. 'Er wordt niet verkocht, maar er moeten wel dingen veranderen. Jij wilde een hotel op niveau, een hotel waarover gesproken zou worden, jij ging voor vijf sterren. Ik denk dat je die droom moet laten vallen om de rest van je droom waar te kunnen maken. Maak van het hotel een familiehotel waar ook kinderen het naar hun zin hebben. La Vista kan gerust blijven zoals het is, maar in het Grand Café moet de doorsnee Zwartburger zich ook thuisvoelen. Jullie panoramarestaurant kan dan exclusiviteit blijven uitstralen en dat is mogelijk als de inkomsten van het hotel omhoog gaan.' Ze kijkt haar familieleden afwachtend aan.
'Het hotel staat aan de financiële afgrond,' zegt Marius nog eens. 'Die plannen komen te laat.'
'Jullie oom Arnold was een hardwerkende zakenman die mij financieel goed verzorgd heeft achtergelaten. Ik kan je melden dat ik jullie op dat gebied ook wil helpen, maar dan eis ik wel een stem in het kapittel. Bovendien wil ik hulp met mijn verhuizing naar Zwartburg, waar ik heel graag bij mijn familie wil wonen. Als laatste, maar zeker niet onbelangrijkste voorwaarde, wil ik dat Marius de tweede echtgenote van zijn vader opzoekt.' Ze kijkt steels naar Jetty. 'Je moeder en ik hebben daarover gepraat en ook zij kan zich daarin vinden. Aan Sjoukje vertel je dat jij de grafsteen van je vader wilt betalen. Van jou zal ze het willen aannemen. Daarna heb ik in ieder geval rust omdat ik weet dat hij een fatsoenlijke steen heeft.'
'En die herbegrafenis?' informeert Marius. 'Mijn vader ligt toch in een algemeen graf?'
'Dat was een leugentje om bestwil.' Ze kijkt haar neef uitdagend aan. 'En ik heb er geen cent spijt van.'
'Maar weet u wel hoe we er financieel voorstaan?' Vera durft het nog nauwelijks te geloven.
'Ik heb een sterk vermoeden. Wees maar niet bang, ik zal jullie op

dat gebied echt kunnen helpen. Jullie krijgen mijn hulp, ik ben familie.'
'Wat vinden jullie ervan?' vraagt Jetty voorzichtig.
'Ik heb er geen woorden voor,' zegt Vera zachtjes.
Onder de tafel zoekt Marius' hand de hare. 'Het lijkt me geweldig,' zegt hij.
Op dat moment doet een luid gekrijs van buiten hen opschrikken. Britt ligt op de grond. Gwenn staat te schreeuwen tegen een klein jongetje dat de oorzaak van de ramp lijkt te zijn. Vera wil opstaan, maar tante Simone houdt haar tegen. 'Blijven jullie maar eens lekker zitten. Jetty en ik regelen dit wel. Als we voor oppas willen gaan spelen, kunnen we nu alvast oefenen.'
Samen met haar schoonzus voegt ze de daad bij het woord, maar voordat ze naar buiten gaan, horen Marius en Vera haar nog tegen een ober zeggen: 'Waar blijft die kaart van jullie? Ik had gezegd dat die na een kwartier gebracht kon worden. We zitten nu al op twintig minuten!'
Als beide dames door de klapdeuren verdwijnen, lijkt het restaurant plotseling in stilte gehuld. Vera kijkt naar Marius. Ze zwijgen. Onder de tafel houdt zijn hand de hare stevig omvat.

Drie weken later wordt Jacco Dupuis door de Portugese politie gearresteerd op de stoep van het huis in Olhão waar twintig jaar geleden Olivia woonde. Marius hoort het van de Nederlandse politie en stelt Vera ervan op de hoogte. Het is de laatste keer dat de naam van Jacco tussen hen valt.